生活·认知·成长

青春励志故事

生活·认知·成长
青春励志故事

美丽如花 十七岁的天空

风尚卷

杨晓敏◎主编

地震出版社

图书在版编目（CIP）数据

美丽如花·十七岁的天空：风尚卷／杨晓敏主编．—北京：
地震出版社，2012.6
（生活·认知·成长青春励志故事）
ISBN 978-7-5028-4052-5

Ⅰ.①美…　Ⅱ.①杨…　Ⅲ.①小小说－小说集－中国－当代
Ⅳ.①I247.8

中国版本图书馆 CIP 数据核字（2012）第 054965 号

地震版　XM2691

美丽如花·十七岁的天空——风尚卷

主　　编：杨晓敏
执行主编：马国兴　王彦艳
责任编辑：范静泊
责任校对：孔景宽　凌　樱

出版发行：地 震 出 版 社

北京民族学院南路9号　　邮编：100081
发行部：68423031　68467993　　传真：88421706
门市部：68467991　　传真：68467991
总编室：68462709　68721982　　传真：68455221
E-mail：seis@mailbox.rol.cn.net
http：//www.dzpress.com.cn

经销：全国各地新华书店
印刷：北京振兴源印务有限公司

版（印）次：2012 年 6 月第一版　2012 年 6 月第一次印刷
开本：710×1000　1/16
字数：207 千字
印张：15
书号：ISBN 978-7-5028-4052-5/I（4730）
定价：28.00 元

序

杨晓敏

好书是具有生命力的。一本好书，我们拿在手上，揣在兜里，或者放在枕边，会感觉到它和我们的心一起跳动。在日常的学习生活中，我们每天都在用最经济的时间、精力和财力，收获着超值的知识、学问和智慧，于是我们自己，就在一天天地充实厚重起来。

优秀的短篇小说，就是这样的好书。它是顺应现代人繁忙生活而发展成的一种篇幅短小的小说。跟一般小说一样重视场景、个人形象、人物心理、叙事节奏。优秀的作者可写出转折虽少却意境深远，或转折虽多却清新动人的作品。

现在，许多优秀的作者舒展超感的心灵触觉，用生花的妙笔，把小小说从文学神坛上牵引下来，在我们广大读者面前，展现出一幅幅五颜六色的生活画卷，或曲折离奇，或险象环生，或嬉笑怒骂，或幽默诙谐。于是，阅读一本小小说，就成了繁忙生活的轻松点缀，紧张学习的有效调剂，抹平了你我微皱的眉头，漾起了会心一笑的嘴角。

我们精心编选的这套“生活·认知·成长青春励志故事”小小说丛书，每一辑都包含了“悟性”“创意”“想象”“品味”“风尚”“情愫”六卷，并围绕这六个主题，选取当代国内知名作家的精品力作，各自汇编成书，具有强劲的文学感染力。篇篇都耐人寻味，本本都精挑细选，既是青少年认识社会的窗口、丰富阅历的捷径，又堪称写作素材的宝典。作品遴选在注重情节奇巧跌宕，阅读效果峰回路转、柳暗花明的同时，注重价值取向，旨在引导青少年全面、客观地认识社会，开阔视野和胸怀，提高综合素质，进而确立正确的人生观、价值观。

在这套书里，我们推荐给青少年读者的是充满活力的大众文化形态的小小说佳品荟萃。所选择的作品，尽量体现质朴单纯，而质朴不是粗硬，单纯不是单薄；体现简洁明朗，而简洁不是简单，明朗不是直白。它们是理性思维与艺术趣味的有机融合，是人类智慧结晶的灵光闪烁，是春风化雨滋润心灵的真情倾诉，是鲜活知识枝头的摇曳多姿，是青少年读者嗅得着的缕缕墨香。

知识没有界线，可以人类共享，只要是具有优良质地的文化产品，都能互补、渗透、影响和给人以启迪。任何一粒精壮的知识种子，播撒在人们的心灵深处，都会开出艳丽的花朵，结成高尚的果实。

青年出版家尚振山先生以极大的热情，独到的眼光，精心策划了这一套“生活·认知·成长青春励志故事”丛书，我和同仁马国兴先生、王彦艳女士应邀参与编纂，当然也愿意大力推荐给广大青少年朋友们。

2012年春

美丽如花
十七岁的天空
contents

目录

化　妆	秦　俑	1
写“福”字的女孩	毕淑敏	4
一封家书	谢志强	7
火车故事	梅子涵	10
清明带雪	刘正权	13
将军树	李永康	17
行间笔墨	冯骥才	20
金老板请客	秦　腔	23
美丽如花	贺敬涛	26
我的民工弟弟	李世民	29
赵老请客	莫　美	32

吴黑米的手	陈力娇	36
给你机会，感受爱	刘　玲	39
阳光一隅	秦德龙	42
买房记	苏三皮	45
钱老师种田	徐常愉	47
为自己歌唱	栾承舟	50
你和我的青春	李　一	53
赔　偿	刘建国	57
苏保安的错误	李培俊	60
流泪的猪猪	包利民	63
小　北	谷　凡	66
赚钱的鸡	丁　文	69
卖不出去的羊	侯发山	71
书法家刘德宏	鬼　子	74
龙女怨	陈柳金	77
下　乡	成　子	80
红樱桃	李永康	83
烧　炉	聂鑫森	86
英　雄	刘正权	91
麦　香	贺敬涛	93
女人的狡黠	刘　玲	96
硬币花	周海亮	98
快　递	梅子涵	102
斗牛节	秦德龙	106

长　青　曾　平　109
芹　和连芬　112
“钓鱼”　苏三皮　115
马哥的婚事　胡碧波　118
轻　松　佛　刘　121
白骨树　冬　荣　124
舞厅门前　李日月　127
村　官　张先丰　130
阿憨的生意经　林俊豪　132
当卑下遇到高尚　张丽钧　135
枣　妹　刘　渊　138
切烟丝的老廖　吴富明　141
大卫搭车　刘会然　144
四家春　朱绍华　147
贾教授听戏　奚同发　151
那就结婚吧　莱　莱　153
高架线下的家　冷　暖　155
向　果　伍中正　158
迂回曲折拉锯战　林　蔚　161
索　字　邢　珂　164
十七岁的天空　蒙福森　166
我不是你的奴隶　汝荣兴　169
一只螃蟹六只脚　争　游　171
1 元钱的尊严　邹当荣　174

班主任 韩昌盛 176
滴水之恩 韩昌盛 179
纶　席 高　军 182
卖雨伞的姑娘 刘志学 185
民工打架 曾　颖 188
民工斗雨 曾　颖 191
琴　声 高　军 194
生　活 徐慧芬 197
说　梦 乔　迁 200
四季阳光 徐慧芬 203
坦　克 魏永贵 205
跳　楼 乔　迁 208
幸福就是借出去的伞都回来了 孙道荣 211
阿咩走穴 孙春平 213
把纽扣缝结实 孙道荣 216
玻璃心 孙道荣 218
冬雨兜头 巩高峰 221
遁　笔 孙春平 224
高师傅 陈　毓 227

化　妆

○秦　俑

上大学那会儿，女生都爱扎堆儿，你三个一群，我五个一伙，一块儿上食堂吃饭，一块儿到图书馆晚自习，甚至闹起别扭来，也是拉帮结派的。

315是新组合的宿舍，一共六位姐妹。新学期刚开始，就明显地分成了两派：一派五个人，吴莎莎、谭芳、曾丽、刘思琦，还有我；另一派，就只有陆小璐一个人了。

其实陆小璐长得很漂亮，她站到人堆里头，一眼看去，很容易就能找出来。这也就算了，偏偏她还特别臭美，每天都化妆，一大早就起来试穿衣服，弄得自己跟赶演出似的，衬得宿舍里其他姐妹都像“灰姑娘”。加上陆小璐很少主动与人说话，一到周末总有人开车来接，慢慢地，便与大家有了距离。

可是有一段，陆小璐突然变得无精打采起来，虽然天天还是一大早就起来化妆，试穿漂亮衣服，但她的精神明显没有过去好。睡在下铺的吴莎莎告诉我们，她经常半夜还听到陆小璐在上铺翻来覆去的。

我们都想，可能有什么事情要发生了吧。果然，从周一开始，陆小璐就没有回宿舍。刚开始几天，谭芳和曾丽还说些不着边际的风凉话，可时间一长，我们都开始担心起来。刘思琦是寝室长，想给陆小璐打手机，一问，才发现我们五个人都没有记她的手机号码。第二天，有人开车过来拿陆小璐的铺盖衣物。来人说，小璐特意叮嘱我转告大家，她要请假半年。

请假半年？我们都挺疑惑的，但这种事也不好细问。还是曾丽机灵，周一的时候，她去问辅导员。辅导员说，你们不知道吗？陆小璐请假做手术啊。

知道这个消息后，我们都很难过。虽然大家都不喜欢陆小璐，可她也不是什么坏人啊。刘思琦几个便四处打探她的消息，原来事情比大家想象的还要糟糕：陆小璐有先天性的心脏病，一直不敢做手术，最近检查，发现不能再拖了。按照医生的建议，她将要接受四次手术治疗，手术成功就可以恢复正常生活，但每一次都有很大的风险。

知道事情的真相后，宿舍里顿时安静了下来，连续几个晚上，都没有一个人说话。最后，还是刘思琦拿的主意，大家一块儿去医院看望陆小璐。

不知道为什么，那天我们的心都慌慌的。在白色的病房里，我们见到了陆小璐，她正认真地对着一面镜子描眼线，打腮红，涂唇彩。她的脸上看不到一丝临危病人的迹象。忙完了，她回过头来，一眼就看到了我们几个，脸上闪过一丝惊喜。接着她连忙将头背过去，说，你们来了，怎么也不通知我一声。过了一会儿，又缓缓地回过头来，说，其实很久以前就知道是这样的结局了，没什么啦，瞒大家那么紧，是不想让更多的人为我担心。

姐妹几个都不知说什么好。陆小璐仿佛又恢复了往日的神采，有说有笑地告诉我们，下午是第一次手术，进去可能就出不来了，所以一上午都在给自己化妆。我参加过别人的追悼会，殡仪馆的人化妆很差劲的，我可不想死得那么难看……

等了好几个小时，我们的脑袋里都是一片空白，甚至连互相对视的勇气都没有了。终于，陆小璐被人从手术室推了出来。手术很顺利，她安详地躺在病床上，仿佛睡熟了一般……

后来，我们陆陆续续地去过医院几回，也陆陆续续地听到她手术成功的好消息，大家都为她感到开心。这个陆小璐啊，真不是一般人，每次上手术台前，她都要给自己化妆，每次都是那么一丝不苟，就好像她要去的地方不是手术室，而是准备去赴一场晚宴。

但最后还是没能如愿。第四次手术前几天，陆小璐突发高烧，接着昏迷了几天，就再没有醒来。事情来得太突然，当我们接到通知赶到殡仪馆时，一个肥胖的女人正在给陆小璐化妆。

我们看着安安静静地躺着的陆小璐，她瘦了，脸上的颧骨明显地突了出来。那个胖女人正在给陆小璐描眉毛，她看起来一点也不用心，将一条眉毛画得弯弯曲曲的。我们都无声地哭了，平时最讨厌看陆小璐化妆的吴莎莎，突然很激动地冲上去，一把就夺过了那个胖女人手中的眉笔。胖女人露出一脸的不解。吴莎莎大声叫道，你怎么可以把她的眉毛画得这么难看！

胖女人很诚恳地说，不要难过，人死不能复生。吴莎莎哭着将眉笔丢到地上，说，她很漂亮的，求求你，你不可以把她的妆化得这么难看……

第二天是追悼会。陆小璐的亲属怕我们再次“激动”，就没让我们参加。那天是星期六，天阴沉沉的，我们315的五个姐妹静静地守在宿舍里，不知是谁先开始的，我们都含着泪、对着镜子开始化妆。我们用这种独特的方式，为一个叫陆小璐的美丽女孩送行。

写“福”字的女孩

〇毕淑敏

春节前的北方集市，热闹得像蜂巢，熙熙攘攘，喧喧嚣嚣，过年的气氛像扑面而来的海浪，把赶集的你浇个透湿。

走到干果市，一堆堆的南瓜子、西瓜子、葵花子散发着撩人的香气。摊主揪着你的衣袖，非要你尝一把才走。你不买他的瓜子，他不生气。你若是不肯尝尝他的货色，他就很委屈地嘟囔着说，咋啦？嫌我的瓜子不新鲜吗？新出锅的，吃一颗香你一个跟头！

你进了炮仗市，空气中弥漫着火药库的味道。红的二踢脚，绿的震天雷，一串串红辣椒似的挂鞭，看着就让你耳边鼓起枪战般的激烈音响。那像金箍棒一样粗的“小钢炮”，长长的炮捻儿温顺地垂在一侧，好像一个穿红袄的嘎小子笑嘻嘻地看着你，你不由自主地绕着它走。走得远了，你又忍不住回过头去再看它两眼……

菜市有些萧条。绿色的菜叶被冷风飕得泛出褐黄，或是翠得可疑，反出晶莹的闪光——那是被冻透了。你叹了口气往前来，菜老板说，真有心买吗？筐里有好的呀，摆在外面的是样品，原装的水灵着呢！说着从捂着棉絮的箱里掏出一个西红柿，电光石火地朝你一闪，又掖了回去。

那半个西红柿的笑脸，灿烂无比。

你买了菜，又慢慢地向前走，来到了一处较为宽敞的场地。空地上摆了几张桌子，红纸铺台，几位先生挥毫泼墨，正在写对联。四周聚着拿钱求字的人们，人头攒动，却很安静。

这该叫个什么“市”呢？书法市吗？你好奇地站住了。

你发现了她，一个小小的女孩，提着几乎和她胳膊一般长的毛笔，也在为人写字。你不禁为她发愁，这么小的人，就算字写得好，能编出主顾满意的吉祥话吗？

看了一会儿，你笑了。担心真是多余的，她只写一个字——一个大大的酣畅淋漓的“福”字。

按说她的字并不是写得很好，但求她写字的人却很多。她有一绝，笔下的“福”字竟是倒着写的。

“福”倒了——福到了！这是中国农民世世代代的愿望啊！

她面前有一沓儿裁好的红纸斗方。两个小瓶，一个装着金粉，一个装着银粉。还有一个巨型砚台，半截墨块。真是个孩子啊，桌上还散乱地扔着几枚侧柏叶，一片晶晶烁烁的天然云母。

有主顾来了，她就很老到地问：“您是要金福还是银福还是墨福？”

主顾问了价码，作了选择，她就按要求施工。要金银福字的，她就把金银粉用调料稀释了，然后笔走龙蛇，一个倒“福”字一气呵成，博得一片喝彩。

有的主顾掂量了半天说：“我还是要个墨福吧，便宜。”

小姑娘就不再说话，用嘴哈哈砚台里稀薄的冰晶，开始磨墨，还不时地把柏叶和云母丢进去，弄得砚池里泥泞不堪。

墨福写好了，轮到收钱的时候，主顾说：“少要点吧。你的墨是自己磨的，你看那边，用的是一得阁的香墨汁。”

小姑娘揉着红彤彤的手指说：“我的墨汁里加了树叶，您闻闻是不是有松树味？还加了云母，在太阳底下，福字里能透出金星呢！”

主顾就把红斗方对着太阳看，周围的人也凑上去。墨字在太阳下显出苍翠的金属色泽，主顾就按数放下钱。

一个老奶奶走过来说："闺女，给我写个……小点的……"

女孩指着纸说："奶奶，纸都是在家就裁好了的，没小的啊。"

老人瘪着嘴说："我就不信你那纸就没个边边角角碎料儿？做衣服的还有个布头儿贱卖呢！闺女，再找找吧……"

围着的人说话了："过年贴福字，有钱就贴，没钱就拉倒。这个福字可没有打折的啊！"

在人们的哄笑声中，老奶奶悄悄离去，她低着白发苍苍的头说："我只要一个小小的福……"

女孩默不作声，挥毫饱蘸金粉，龙飞凤舞写下一个金色的倒"福"字，追上老奶奶，说："我送您一个大大的'福'……"

你站在北方晴朗而寒冷的天穹下，看着老人双手捧着金色的福字，消失在茫茫的人群中。

又有清新的松柏气味飘荡在你身后，写"福"字的女孩正在撕云母，传来极轻微的破碎声……

一封家书

〇谢志强

收到儿子的第一封信，全家都沉浸在喜悦之中，轮流读了一遍。第二天，说起来，又轮流读了一遍，因为，信的内容不过两行字，本来，一行就可以，却松松散散拉开了字的间距，占了将近两行，这一点，像儿子的性格。轮流读了之后，又座谈式地议论，一致认为这封信似乎没说什么，“我在学校一切都好，请放心”，接着是一句问候和祝愿。信的抬头是：外婆、爸爸、妈妈。

妻子说：概念化。我笑了，说：你们像接圣旨一样，他能写来这封信已经很难得了。这封信是应儿子的外婆之愿所写。外婆很快发现笔迹不对，说：他的字迹不是这样。

我说：大概到了学校，有长进了。我们三人打赌，我坚持这是儿子的亲笔信。可是，岳母找出了证据，她保存着我儿子高中时的作文簿。我还是咬定：几十个字，他不可能让同学代笔。

岳母甚至猜测他在校是不是出了什么事，无法执笔写信。我说，怎么可能？妻子也说：我越看越不像儿子的笔迹。我说事物都在发展，他进步了，应当高兴。我还说：老年人总把事情往坏处想，而年轻人则把事情往好处想。

过了一个月，岳母还在重温我儿子的信，她似乎要读出信中没写出的内容。确实儿子的信太简单了太枯燥了，好像是千言万语汇成一句话。也不能说没有应付的味道。

岳母的猜测逐渐丰富起来。难怪呀，儿子第一次出远门独立生活，外婆怎能不操心。她操心惯了，我儿子去那么远的地方读书，她有点“下岗”的感觉。她看电视，关注的是外孙所在城市的气象预报，气温下降，她担心他会不会感冒，又落实到笔迹问题。

我给儿子打了电话（专门给他配备了手机），说：你再给外婆写封信吧。果然，那封信是儿子让同学代笔的。我关照：这回你自己写，大学生了，信还让别人代笔，像话嘛。他说：不是有了一封信了吗？不过，他还是承诺：好吧。

岳母就开始等待信的抵达。妻子发短信：信何时发？儿子回复：正在写。过三天，妻子又一个短信：告诉发信时间。回复：今日寄。

岳母计算信在途中的时间（参照第一封信），十天以后，已经是热锅上的蚂蚁了。我取楼下信箱的报纸，仍没有信件。我悄悄打电话说：到底寄出了没有？儿子说：爸，我发伊妹儿吧。我说：外婆就等你的信了，还是来手写的信吧，说定了。

我知道儿子已经陌生了纸和笔，他敲击键盘十分熟练，像饿了的鸡啄米粒。我对岳母说：大概邮路出了问题，再等几天吧。

岳母要我购一把锁。她说：信箱没锁，怕是让别人取走了吧。我说：又不是商业机密，别人没兴趣。岳母举例，说上回楼上有人取了你的信，还拆开了，再送回来。我说：偶然投错了信箱的事也可能发生。

我还是买了一把锁。等候了一个礼拜，岳母又提起信，她说：恐怕别人已经取走了，拆开了，不好意思还。我说：反正没有什么重要的内容，慢两天也没啥。

我和妻子共同隐瞒着儿子未发信的事实。妻子频繁发短信。儿子索性不回复了，是在回避。我说：别为难他了，现在，有几个人还寄手写的信？儿子离开了电脑就不行了，连我们机关都在推行无纸办公呢。

我还是打了电话。我知道绕不过去，岳母看了我儿子的亲笔信，才能得到安慰，获得满足，仿佛外孙来到她身边。我说：无论如何，你不能拖了，你外婆睡觉都不安稳，失眠了。一封信，这么简单的小事，对你就这么难？

晚上，儿子打来电话。他一个礼拜，总会来个电话，还点名要让外婆听电话。他的习惯问候是：都好吗？而且，一一问候。他对外婆说：我这儿都好，你放心，睡好觉。外婆说：信寄出了吗？

儿子说：我已经寄出了。过后，我证实，确实寄出了。儿子不知道他的信的分量（对外婆来说）。我强调：你自己写，字丑没关系。

岳母开始倒计时，我看出，那信，对她来说，像是逐渐走近的外孙——一步一步，一站一站地往家走。岳母不知打哪儿弄来了飞机、铁路交通地图，推断着信件的运行路线和时间。

七天之后，是个星期天，下午三点，妻子下楼，上来的时候，没进门，就喊：妈，信到了。

岳母用剪刀小心翼翼地剪开了信封。她第一个阅读，好像信里通报了最新感人信息。她说：这是外孙的字迹了，还是那么幼稚。

我一眼扫过信的内容，说：题材雷同。两封信竟是同样的表达。只是附了一张课程表。岳母说：要学那么多东西呀？别用伤了脑筋。

妻子说：他什么时候用功过。我说：玩电脑他不是很投入吗？不写信了，你们牵挂，来了信了你们又挑剔。岳母说：该写得具体点。好，字迹已经端正了。

我打电话去，表示祝贺，还鼓励了一番，传达了外婆读了信的反应。我说：看到了你的信，外婆睡觉都在笑呢。我要求儿子隔一个月，给外婆来封信，题材不限，随便写点学校生活就行。儿子说好吧，我尽力。他那口气，似乎是我硬把他往纸媒时代拽。

火车故事

○梅子涵

我说一件1983年夏天从上海去吉林的事，然后再说一件1984年夏天从大连回上海的事，两件事合起来正好是一个完整的故事。

1983年的时候我是助教，出去开会只能坐火车硬卧，不能乘飞机。可是1983年的时候想买卧铺票很难，我只好上车补。火车刚离开上海，我已经站在补票的车厢排队。那是7月，火车上没有空调，所有的车窗都开着，但车厢里还是酷热难耐。广播里说，要过了无锡才能补票。我安心地站着等。那时的我，耐心比现在好无数倍。我的前面是一个抱孩子的年轻女人，旁边还有一个大箱子。孩子总在她怀里动，还挣扎着哭，女人为难地一会儿离开队伍，一会儿又回来。我对她说："你就站在旁边吧，等会儿我帮你一起补票。"女人感激地说："谢谢你，真谢谢你。"女人告诉我，她是去大连探亲，爱人在海军某部，需要到沈阳转车。

这是一列到沈阳的车，我也是在沈阳转车。

补到卧铺，已经是深夜，我帮女人拎着箱子朝卧铺车厢走去。

车厢里的灯已全部熄灭。我帮女人拎着箱子摸黑走进去时，心里只觉得那些睡着的人多幸福。原来如果上车前就有一张卧铺票，是可以如此幸福的！

我用自己天生的好视力寻找着卧铺号，我是中铺，她是隔壁一间的上铺，我让她和孩子睡在我的中铺上，我到隔壁的上铺躺下了。我离开她时，她对着我、也是对着黑暗很轻声地说：“谢谢你，真谢谢你！”

我躺在上铺，没一会儿就幸福地睡着了。

早晨醒来，车厢里已经照满阳光，我看见女人坐在铺上和孩子玩。我刷了牙洗了脸，就去餐车吃面条了。

餐车人不多。五毛钱一碗肉丝面。我吃着，看着窗外的田野飞快逝去，火车在符离集停下了。

这个地方的烧鸡很有名。我想，等回来的时候，要买一只烧鸡带回去。

可是还没有等我想更多，火车已经开动。接着听见的是车站上的一片混乱，脚步声和喊叫声。我不知道发生了什么。

我回到卧铺。车厢里也很混乱。那个在大声说话的是列车长。他说，他干了二十几年铁路工作，从来没有发生过这样的事情，他要到铁道部去告状！他发纸给大家，让大家写下看见的情景，签上名，作为证据他要告到铁道部。

原来，车站打错信号，火车提前四分钟开了。不少人下车买烧鸡，来不及上车。那个女人抱着孩子，也没上车，她的箱子还在车上。

车长不知听谁说的，昨天夜里是我送女人和孩子进卧铺的，于是就让我学雷锋学到底，明天一早到了沈阳先别去吉林，在沈阳逛逛，傍晚五点半他在车站通勤口等我，女人和孩子坐后面的车到沈阳，我陪他一起把箱子交给女人。车长没说女人，而是说女同志。我一口答应了。车长说，到吉林的票，他会帮我解决，一定有座位的！

我早晨五点半到沈阳，一直逛到傍晚，傍晚五点半和车长在通勤口碰头，女人抱着孩子来了。车长把箱子放在女人面前，女人激动地和我拥抱。那是1983年，中国的普通男女，还不会这样的拥抱，但是她拥抱了我！

我乘半夜的车去吉林。车长帮我买的票没有座位，他说，真抱歉，没有座了。你以后再到沈阳来一定找我，我姓张。我昏昏欲睡地站着。列车驶过黑夜，我没有一点儿埋怨，很像雷锋。故事结束。

又是夏天，1984 年了，我在大连开完会，陪着著名的陈伯吹先生先到沈阳，再回上海。辽宁作协为我们买沈阳到上海的卧铺，可是他们把我们送到车站时，没有给我们票，而是给了一张纸，纸上写着列车长的名字。列车长姓陈，他们说，姓陈的列车长会为我们办好卧铺票。

列车员说，陈车长今天根本不当班。我急得发昏，因为陈伯吹先生年纪大了。这时已经是晚上九点多。我让陈伯吹先生先坐在卧铺，我站在过道上等。其实我也不清楚等什么。结果我等到了张车长。

他从过道那一头走来。我大声喊："张车长!"我的眼泪想出来。我说："张车长，你还记得我吗?"

他看看我："你就是那个学雷锋的大学老师?"

张车长为我们补了票。他说，今天如果没有卧铺了，我就让你们睡到列车员的车厢去。

第二个故事也结束。两个故事加起来的故事也结束了。

再加个结束语：哪怕车厢的灯全熄了，还是会有人看见你——我送女人和孩子进卧铺就被黑暗里的人看见了。如果你"学过雷锋"，那么你会等到"张车长"。

清明带雪

〇刘正权

清明带雪，谷雨带霜！

世新早上起床时，见天色有点晦暗，就回过头冲媳妇说，该不是要下雪了吧！快起来！

媳妇是新娶上黑王寨的，揉了揉眼说，都二月尾了，还下雪？说胡话吧你！

胡话？三月还下桃花雪呢，那一年，雪粒将桃花全打落了呢，你是没见过，漫天的白里裹着漫天的红，天地都成水红色了！世新把眼望着窗户，窗帘是水红色的，眼下被天一暗，成暗红了，媳妇汪着水红色的脸蛋兴奋起来，真有那景致吗，你们黑王寨？

世新不高兴了，啥叫你们黑王寨，眼下你嫁给我了，就该说我们黑王寨，不然叫爹听见了，多生分！

瞧瞧，一句话而已，搞得人五人六的，你爹你爹，当我没爹啊！媳妇话没落音，爹的咳嗽声就在堂屋里响起来，爹说，世新你赶紧点，天要落雪了，下山去买几刀纸！

买纸做啥？媳妇小声嘀咕着问世新。

这不是清明节要到了吗？世新边穿衣服边说，买纸做清明吊子上坟用啊！

可我听说上清明前十天不为早，后十天不为迟啊，非得瞅个阴天去买纸？媳妇也想赶集，但她不喜欢阴天去赶集，天阴，心就开朗不起来。

世新怔了一下，冲外面说，爹，要不改天吧，天落雪时不能上清明的！

要落也只能落雨，书上说过，清明时节雨纷纷！爹说完这句话后咳嗽声像被掐断了似的，一下子没了。

世新被媳妇又拽回被窝，春困秋乏呢，眼下正好睡回笼觉！媳妇拽世新时还俏皮地学了一句黑王寨老话，说回笼觉，二房妻，这可是你们男人八百年遇不着的美事！世新就美美地啃了媳妇一口，笑，你说的啊，将来我找了二房妻你不许生气！

就你那药罐子爹供家里，还二房妻，等下辈子吧！媳妇奚落了一句，两人就缩进被窝里了。

太阳升到半天云时，世新憋不住尿了才起的床，四处一看，院子里居然没了爹的身影。

莫不是爹下山赶集去了？世新往爹房里探了探头，果然爹的黄挎包没了，爹出门喜欢背个黄挎包，这是早年当民办教师时的习惯。

爹的习惯一堆一堆的，都被咳嗽给淹没了，就剩下最后一点之乎者也的书生意气没被淹没，可惜，没人喜欢他这显山露水的之乎者也习气，包括世新，他唯一的儿子。

爹是正午时分赶回来的，天开了一些，还是有云，爹回来了也不说话，开始裁纸，黄的紫的白的三种颜色，白色居多，爹喜欢自己做清明吊子。世新皱了皱眉头，说，买一个，又简单又好看，费那工夫值吗？

爹慢条斯理地裁着纸，这不是值不值的问题，这是对祖宗的一份心！

世新撇撇嘴，祖宗远在另一个世界，能看见？

爹不裁纸了，停下手，拿眼剜了一下世新，说祖宗虽远，祭祀不可不诚，你没听说过？

世新不撇嘴了，他知道再说下去，爹会骂他听妇言，乖骨肉，不是丈夫！

见世新低下头，爹又专心做他的事，做完吊子，还得包福钱，郑重其事地把香和烛都用托盘装了，敬祖宗嘛就得有敬的样子。

完了，爹冲世新努努嘴，说走吧！

世新冲自己房子里望了一眼，说，要不要带上她？

爹迟疑了一下，你不是说她有了吗？怀孕的女人是不能磕头敬祖宗的！

这讲究，世新知道，世新犹豫了一下，想张口，没张开，就随了爹去北坡崖。

北坡崖上的坟多，像黑王寨多出的一个村落，世新的爷爷奶奶和娘都埋在崖上面的麦田中，活着是一家人，死了还是一家人，多少有个照应！黑王寨人一向这么以为的。

爹把步子迈得很谨慎，世新则大大咧咧把脚伸进麦田，爹忽然火了，爹说，昆虫草木，犹不可伤，亏你还上过高中！

世新脚趔趄了一下，爹今天说话有点伤人哪，咋的啦？

到了坟前，爹开始把托盘里的东西一份一份分匀，爷爷奶奶那两份，爹不让世新插手，爹说上辈不管下辈人，爷爷奶奶是我的事，你只把你娘给侍候好了就行。

世新不会侍候，就看爹。

爹折了一根枝条插坟上，把彩纸剪成的吊子挂上去，有风吹过，纸条“哗哗”作响。爹跪下来，撑开衣裳挡风，点火纸，烧福钱和香，看一页页火纸化成灰蝴蝶飞上半空，爹就响了鞭，一地红的白的碎纸屑漫上坟头。爹虔诚地跪下磕头，一个，又一个，再一个，很庄重。

完了爹坐在爷爷和奶奶坟中间，慢条斯理点燃一根烟。

世新问，就这么着？

爹说，不这么着能怎么着？

世新就过去，给娘上坟，挂清明吊子，响鞭磕头。

磕完了，回头看爹，爷爷奶奶坟头的白纸吊子一张张舞开，把爹的头裹得平平实实的，只见白，那白压得世新喘不过气来，自打娘过世后，爹明显老了呢！

世新忽然想和爹说几句话，世新走过去，挨着爹坐下。世新说，爹你告诉我，清明为啥叫清明，不叫别的节呢？

爹把头上飞过来的白纸条掀开，说，不浊为清，不迷为明，谓之清明！清明是一条纽带呢，老祖宗通过这种方式告诉我们，人活着，最重要的是要不浊不迷，做什么事，祖宗都在另一个世界里看着呢！

世新不敢抬头望娘的坟了，娘一定望着他呢，他咋那么浊那么迷呢？为哄媳妇开心竟跟爹撒谎说媳妇怀了孕，真的愧对娘于泥土间对自己透出的无处不在的关询啊！

这么一愣神的工夫，雪忽然就落了，很轻很轻的雪花竟把世新心里砸得很疼很疼！

将军树

〇李永康

村里人要将村头的那棵大树伐倒，做成棺木安葬将军。

只有将军才配啊！人们都说。

这棵树是将军栽的。将军栽这棵树的时候还是个放牛娃，将军栽下树的第二年就当了红军。

当放牛娃成了将军戴着勋章回村的时候，这棵树已长成参天大树。而将军也六十多岁了。

村里人不知道这棵树是将军栽的。村里人知道将军是将军，将军自己却没有把自己当成将军。

将军回村的第二天就担着箢篼去捡牛粪、拾狗屎。

村里人都用陌生的眼光看着将军。

将军把拾来的粪担去记工分。

将军说，从今往后，我就是村里的社员。

村里人才知道将军是解甲归田了。有人说，伐不伐树，问问将军……话还未说完就眼红红地猛拍脑袋瓜骂自己：混蛋混蛋。

将军是昨天晚上半夜作古的。

人们比失去自己的亲爹娘还痛心：今后好多事再也不能问问将军了。

说起问问将军，不得不提这样一桩事。将军回村的第二年秋天，正是青黄不接的时候，好多人的家里都揭不开锅，村里正在吐红须的苞谷却接二连三地被偷，人们愤怒了。眼巴巴地盼着苞谷成熟，却被人这样糟蹋，村里人接连几夜守候在地里，贼还是不见踪影。就开社员大会。商议的结果是，挨家挨户地搜，搜出来五花大绑去游街。社员们在村长的带领下就要行动，将军站出来制止，将军想说，你们这是违法行为，话到嘴边却变成了：社员同志们，大家等一等，我有话给你们说。刚才村长要大家检举揭发提供线索，大家虽然议论纷纷，但都提不出有价值的东西来。这说明了什么？将军停顿了一下，瞄了社员们一眼提高声音说，这说明大家对谁是贼心中没底，更说明大家有责任感、正义感，决不信口开河莽撞行事。大家仔细想一想，如果我们这样不问清红皂白家家户户去搜查，大家都被怀疑成贼，这不搞得人人自危、人心惶惶，让真正的贼开心吗？

决不干让贼开心的事！有人说。

不能让贼的阴谋得逞。有人吼。

村长也同意将军的看法。

没隔几天，真正的贼被捉住了，原来是外公社的惯偷。

通过这件事，人们对将军更加崇敬。从此，村里人有事总要问问将军。

一晃十多年了。人们问了将军多少事，不知道，只知道村里盖了新学校、修了水泥公路、办了集体企业、建了福利院……

将军这会儿就静静地躺在福利院的一间房屋里的床上。

将军无儿无女。将军的老伴儿在他回村后的第五个年头生病先走了。

有人在他老伴儿生前曾经问起过这样的问题，将军为啥不在部队享福。老伴儿说，他说他人老了，脑袋不灵光了，就想回村干干体力活。

有人问将军，将军笑而不答。

这会儿将军躺在床上也微笑着。

村里人合计，将违反一次政策，用棺木隆隆重重地土葬将军。

人们在帮将军穿寿衣的时候，在他衣兜里发现一盘磁带。人们将磁带放进收录机里播放，是将军的声音，断断续续的：父老乡亲们，我死后一定要送去火化，千万不要用棺木土葬，骨灰撒在田间地头……请你们帮我这个忙……如果你们不愿意帮我，我将会死不瞑目……

有人飞快地跑去村头。

大树没有和将军一起倒下。村里人就将将军的一部分骨灰埋在大树下，将大树视为将军，准备每年将军的忌日都去大树下祭奠将军，

村里人却始终不知道村头这棵树是将军栽的。

行间笔墨

○冯骥才

在终日四处的奔波中，常常不能拒绝的事便是应人家请求，提起毛笔写几句话。想想看，人家盛情陪同，尽其所能地招待和照顾，而这些景物本来又都是自己切切关心的，待到告别之时，人家备好纸笔墨砚，请你留下“墨宝”，怎好把脸一板推掉？故而这些行间的笔墨大多在来去匆匆之间，凭着的是一时的情意与兴致，很是即兴。比方，在四川绵竹考察年画，被那里独有的“填水脚”所震惊。所谓“填水脚”，乃是每逢年根，画工们干完活儿要回去过年，顺手将颜料渣子混上水色，涂抹在印了线版的纸上。画工们人人都是才艺精绝，故而这些看似率意为之的几笔，很像中国画的大写意，立笔挥扫，神气飞扬。绵竹年画本来就像川剧，高亢辛辣，这“填水脚”更是将川地年画独有的地域气质发挥到极致。特别是绵竹年画博物馆中一对清代中期“填水脚”的门神，不过七八笔，人物跃然而生。我看得如醉如痴，不停地说：“这简直是民间的八大！”

从博物馆出来，便被主人引入一间小室。桌上已摆上文房四宝。不用去想，心中已有两句话冒出来，挥笔先写道：土中大艺术。这上一句写过，忽觉心中的下一句不甚好。下边一句应当更妙才是。此刻扭头看到窗台上有个剑南春的酒瓶。绵竹也是名酒剑南春的故乡。这一瞬，老天爷亲吻了我的脑门儿，妙语倏忽而至，接下去便写出来：纸上剑南春。这一句叫主人高兴非常。

一次更有趣的是在乐山。仰观大佛之后，在席间主人说："你总得留点纪念给我们。"我想，乐山大佛是天下佛窟中至美至上之宝。我已经是千里迢迢第二次来看大佛了，应当在这里留一幅字。有了这想法，却像得到神助那样，心中首先出现的两个字"大佛"，倒过来便是"佛大"，由是而下，一佳句油然而生——"佛大大于大佛"。下边还应有一句，自然想到"乐山"和"山乐"等……于是两句绝妙好词装入胸中。待展纸书写之时，我对主人说，这幅字很难写。主人说为什么。我说其中两个字要重复两次，还有两个字要重复三次。便是：

佛大大于大佛

山乐乐似乐山

待写过这幅，放下笔一看，居然竖着读奇妙，横着读也通也奇妙，更觉得这两句不是自己脑袋想出来的，好像谁告诉我的。此种乐趣，还有谁知?

这行间的笔墨并非总是灵感迭出，若有神助。有时人马劳顿，情思壅滞，而文人书法偏偏要"言必己出"，又不能落笔平庸，往往就被盛情的主人逼入绝境。逢到此时，只好请主人留下姓名地址，回去补写后再寄来，决不勉强自己。

即使是这样，也常常会留下遗憾。比如，前些天在如皋，参观水绘园。此园曾是文人学士荟集之所，又是明代名姬董小宛栖隐之处。园中景物相映，玲珑曲折，气息幽雅，世称文人园。游园时，因景生情，因情生句，待主人相邀题字时，捉笔便写了"园如书卷可捲，景似画轴当垂"两句。主人颔首称好。可是自己心里总感觉有些不妥。题字，字比词更为重要。但是，词要思量，字须推敲，时间这样仓促，被人又请又拉，怎好从细斟酌？从水绘园出来后，坐在车上，把刚刚的题词放在心中来回一折腾，忽觉应该改两个字，应是：园如书卷半捲，景似画轴长垂。这样才好，可惜已经晚了。那幅糟糕的字留在人家那里，自己却带着遗憾直至此刻此时。

再说两件得意的事。

一次在西南某地。一位主人为他的上级领导向我索字。这也是在各地常常碰到的事。但我的笔墨从不为人帮闲，遂写了一句：

心中百姓是神仙

我想此句如使他受用，当也使他受益。

再一次是在南通小狼山的广教寺，寺中方丈请我留下笔墨。

小狼山为天下最小名山，虽然仅仅 108 米，却有一座古庙和宋塔伫立峰尖。日日晨钟暮鼓，梵声散布万家。想到此处，因题道：

最小山头，顶大佛界

由于宣纸劲润，笔也凑手，写得水墨淋漓，极是酣畅。

方丈合掌行礼，表示满意与谢意。我却说，这句话也是为我自己写的。此我世间的追求是也。

因之可谓，行间笔墨，其乐无穷。

金老板请客

○秦 腔

金老板财大气粗。这天，他心血来潮，要请税务局的郭税官吃饭。

金老板喊过来郝会计，让他去安排。金老板说："老郭他就是一个犟筋，也要用茅台酒把他泡软。税务局的管道，一定要疏通！"

说实话，请税务局官员吃饭，可不是一件简单的事。这些年，在老板和郭税官之间，郝会计没少作难。别看金老板肥得浑身冒油，但总是想偷税漏税。而郭税官呢，脾气耿直，为国家护税，寸步不让。今天，请他吃饭，一旦他黑下脸来，那可就难堪了。

但老板的吩咐不能违抗，郝会计终于决定，还是到税务局去，见郭税官一面。

郭税官听郝会计说明了来意，反问了一句："你是来害我的吧？"

郝会计堆着笑脸说："哪能呢，我一向是敬重您的！其实，金老板请客，对您来说，也是个机会呀，您可以当面向他宣传税法嘛！"

郭税官一笑："这么说，今天，就是鸿门宴，我也要去喽。我就不相信，金老板能把我灌醉！"

郝会计和郭税官咬好了牙印，回到公司，向金老板作了汇报。然后，他又回到自己的办公室，做了些必要的准备。

晚上，华灯初照的时候，金老板带着郝会计去了酒店。郭税官如约而来。金老板喜笑颜开地说："老郭啊，您能光临，真让我高兴！人家都说，老板和税官是老鼠和黑猫警长的关系。今天，在您的面前，我情愿变成一只老鼠，让您吃，让您宰！您，想吃啥，就点啥，照着最贵的点！”

郭税官笑道：“有你这句话，我就随便点了。我点一个咸鸭蛋，再来一瓶二锅头。”

金老板一愣：“老郭，您这不是讽刺我吗？我请客，怎么能让您吃鸭蛋、喝二锅头呢！”

郭税官笑道：“你不是要和我交朋友吗？我就是想吃这一口，想来这一口。你不答应，咱还怎么能交朋友呢？”

金老板手一拍说：“好，就按你说的，上鸭蛋，上二锅头！”

服务员很快就把咸鸭蛋和二锅头端上来了。郭税官、金老板和郝会计面前，各摆了一个咸鸭蛋和一瓶二锅头。三个人磕破蛋壳，用筷子掏着，用嘴巴吮着，对着酒瓶子，喝了起来。

郭税官问：“味道怎么样？”

金老板答：“当然是味道好极了！”

郝会计紧随着说：“鸭蛋就酒，越喝越有！”

三个人哈哈大笑，“叮叮咣咣”地碰着酒瓶子，吃一筷子鸭蛋，喝一口二锅头，不知不觉间，鸭蛋吃完了。

金老板又让上鸭蛋，被郭税官拦住了。郭税官说：“我表演个节目，给你们看看。”郭税官说着，用筷子掏了掏空蛋壳，虽然没掏出来什么，却把筷子头伸进嘴里了。只见他津津有味地嘬了嘬筷子头，然后咂巴咂巴嘴，对着酒瓶子，喝了一口酒。郭税官说：“就着空蛋壳喝酒，这叫无中胜有！”

金老板看着看着，眼圈儿红了，声音也呜咽了：“老郭，想当年，穷困潦倒，我也吃过空蛋壳！”

郭税官说：“金老板，现在你发财了，可不能忘本啊。大河有水小河满，税收上来了，才能国富民强啊！我今天来，说到底，是来保护你的。

你想想，不纳税可是犯法呀!”

酒不醉人人自醉。金老板掏了掏空蛋壳，喝了一大口酒，扭头对郝会计说：“你听见没有？郭税官说得对，咱可别忘了依法纳税!”

郝会计随口应着，拿过皮包，找出一张单据，对金老板说：“这是咱公司该缴纳的税金总额，请您过目、签字。”

金老板看看单据，摸出笔来，刷刷地签上了自己的名字，签得龙飞凤舞。郝会计与郭税官相视一笑。

次日，金老板把郝会计叫到办公室，指天指地，骂了一顿。骂完，对郝会计说：“你别生气，我是骂我自己呢。”

美丽如花

○贺敬涛

黑板前，站着新分来的老师李美丽，高挑的身材，瓜子脸，大大的眼睛，两条乌黑的大辫子悠闲地甩在身后。

第一排笔直地站着瘦瘦小小的我，一件旧粗布上衣晃晃荡荡穿在身上，像个风中的稻草人，肩上还斜挎着一个表姐用过的花书包。身后整齐地站着孬蛋、二皮、四丫、石头。孬蛋的上衣和裤子显然是姐姐的旧衣服改的，但上衣太瘦小，露着小肚子，裤腿则高高地吊在膝盖上，活脱脱从豆苗地里跑出来的一只大蟋蟀，滑稽可笑。

王校长正坐在一张旧课桌后面的凳子上大声地讲话。今天是开学典礼。

我回头看着孬蛋，咧开大嘴，露出了嘲笑的八颗大牙。孬蛋立刻板起小脸，右手嗖的飞出一个泥蛋，正打在我脑门上。我抬起脚用表哥的大号球鞋踢在孬蛋的“高吊裤”上……

偌大的校园，我与孬蛋静静地站着——被罚站呢。

站在校园里的还有一个人，李美丽。李老师说，学生没管好，是自己的责任。任王校长怎么说，李老师非要陪站不可。

秋阳中，李老师直直地站着，后面是歪歪扭扭的我与孬蛋。远处的教室窗户里不时探出二皮、石头的大脑袋，伸着舌头、捏着鼻子冲我俩做鬼脸。

王校长来了：“咿！李老师，快带着你的两个浑球进班吧！”

我们喜欢上了李老师。李老师是桃花沟李大贵的丫头、二皮的姐姐。我开始拼命地忌妒起二皮来。

李老师教我们语文，看全校没音乐课，又主动提出给全校每周每班上一节音乐课。

音乐课上，漂亮的李老师坐在旧脚踏风琴旁，教我们《我是公社小社员》、《学习雷锋好榜样》，嘹亮的歌声像长了金色的翅膀，飞出了低矮的教室。

课余，李老师会经常收到盖有三角形戳记的信。大人说，那是李老师的高中同学、现在是部队的一名军官给她寄的。每次收到信，李老师都望着大山看啊看，脸上飞出了红霞。

一个冬日的下午，天阴冷阴冷的，我、二皮、孬蛋、四丫放学回家，哆哆嗦嗦地走到村子的干草房旁。我们推开房门，孬蛋摸出兜里的一盒火柴，拢了一堆干草，点燃了。四双小手伸过去，大家高兴起来，飞快地抱柴。火苗越来越大，瞬间包围了我们。我们惊恐地大声呼救。

放学回家的李老师正好路过，急急奔来，钻进了火海，夹起我与四丫冲出去，转身放下，又冲进火海。等救起孬蛋，再去救弟弟二皮时，大火已烧塌了房顶，大火吞噬了二皮。

二皮走了，二皮爹娘哭晕了过去。李老师也被严重烧伤，李老师的男友闻讯急急赶来，把李老师接到部队治疗。

前些天，已是一家省内知名大企业董事长的孙有才（外号孬蛋）打来电话，说这么多年，李老师出门都是戴副墨镜、系着纱巾……在小学原址建起的新校园（由他们公司投资）已竣工，9 月开学典礼，已邀请了李老师参加。

崭新的校园里，一排参天的白杨挺拔帅气，远处漫山的野菊花金灿灿的一片，校园里整整齐齐站着穿新校服的小学生，每人手里拿着一束野菊花，周围是我的同班同学。

车到了，李老师走过来，戴着大墨镜，包着黄纱巾，一抬头，她惊呆了：我们学校老师全是墨镜，女士还都系着纱巾。孩子们围拢过来，李老师立刻被野菊花包围了。她扭过脸去，泪水汩汩流下来。倏然，李老师一把摘掉墨镜和纱巾，甜甜地笑了。金灿灿的野菊花中，李老师依然美丽如花。

我的民工弟弟

〇李世民

我的弟弟李小顺，很多人都不认识他，当然，也有很多人认识他。

李小顺个头矮，模样也不顺眼，别说在大地方，就是在村子里也不显眼，不过，村里人都跷起大拇指说李小顺的水平高。前年，29 岁的李小顺在热心邻居的撮合下，终于娶了一个瘸腿女人，一年后，瘸腿女人居然为李小顺生了双胞胎儿子。村里人说，李小顺的水平真不低。

李小顺的双胞胎儿子，像一对小老虎，整天“哇哇”直叫，为了儿子，李小顺只好跟着村里人，来到了城里的建筑工地上。

别看李小顺的个头矮，干活却有两把刷子，李小顺和的砂浆，又细又匀，李小顺撂的砖头，又准又稳。伙伴们都说，李小顺的水平真是高。

时间久了，伙伴们还发现，李小顺有一个爱喝酒的毛病。李小顺喝酒，不花自己的钱，因为自己的钱要留着养活两个儿子；李小顺喝酒，也不花别人的钱，因为别人的钱，是不会为李小顺买酒喝的。尽管这样，李小顺还是要喝酒的。

搭脚手架用的铁扣，工地上到处都是，傍晚的时候，李小顺穿了一件宽松的上衣，悄悄来到一个角落里，把两斤重的铁扣一个一个别在腰带上，然后，大摇大摆地向大门口走去，李小顺还在大门口与何师傅握了握手，最后像一条鱼一样游了出去。到了外面，李小顺找了一家废品收购点，这样，喝酒的钱就出来了。

有一回，李小顺在工地附近捡了一个花盆，下班后，李小顺拿着花盆来到工地上，盛了满满一盆木工用的钉子，上面盖了薄薄的一层土，再从墙根移来一棵不知名的草，弄完这些，李小顺就捧着花盆向大门口走去。何师傅见李小顺向外拿东西，不乐意了，可李小顺没等何师傅靠近，就高声喊，离远点，离远点，这是我亲戚家让我捎去的一盆花，名贵的花呀，弄坏了，谁都赔不起！何师傅一听，愣住了，于是，李小顺像一条泥鳅滑了出去。

前不久的一天，李小顺收了工，空着两只手向外走去。来到大门口，却被何师傅拦住了，何师傅不说话，上前就去摸李小顺的腰，李小顺嘻嘻笑着说我又不是女的你摸我的腰干吗？何师傅摸来摸去啥也没摸着，挥挥手说去吧去吧。李小顺就唱着小调像一条狗一样溜了出去。拐了一道弯，李小顺摘下头上的安全帽，头上又冒出一顶安全帽，原来，李小顺安全帽套着一顶安全帽。李小顺禁不住“嘿嘿嘿”地笑，心想，自己的水平就是高啊。

李小顺找地方卖了安全帽，就来到一家小酒馆，要了一个小菜和半斤酒，滋滋溜溜地喝。

喝着喝着，李小顺感觉不舒服，哪里不舒服呀，不是自己身上，而是自己的身边，邻桌喝酒的，有五六个人，啊啊呀呀地猜拳，还哗哗啦啦地出酒，让李小顺恶心。更让李小顺恶心的，是那个秃顶男子，他不仅哗哗啦啦地出酒，还趁机捏住了女服务员的手。李小顺恨得咬牙切齿，他真想站起来冲过去，用手中剩下的这顶安全帽狠狠地砸秃顶男子的亮光光的脑瓜子。可是，李小顺没有站起来也没有冲过去，李小顺知道，秃顶男人又粗又壮，自己根本不是对手，而且，他们一伙好几个人。

李小顺正想起身离开，无意中却看见了一个人，就是挨着秃顶男子的那个人，那个人是个矮个子男人，和李小顺一样不起眼，可是李小顺想想这个人眼熟，在哪里见过。李小顺还是想起来了，这个人就是贴在工地大门口照片上的那个人，是公安局通缉的杀人犯，李小顺心里冒出了一股凉气。

李小顺装作结账的样子，到前面和老板说了几句话。当李小顺转过身的时候，那伙人也散了酒席，准备出门。李小顺突然冲上前去，堵住了矮个子男人的去路，李小顺说，我是警察，便衣警察！矮个子男人愣住了，很快，矮个子男人从腰间摸出一把匕首，向李小顺胸部刺去。与此同时，李小顺像一条狗一样恶狠狠地咬住了矮个子男人的手。

和很多的故事一模一样，警察抓住了坏人，李小顺被送往医院。

李小顺没有死。据医生说，匕首离李小顺的心脏还有一厘米，医生还开玩笑说，看来，这个凶手的水平很高。

那天，我去医院看望我的弟弟李小顺，顺便还带着一张发表李小顺事迹的最新报纸。我对李小顺说，弟弟，大英雄啊，你出名了。李小顺对我说，还不是你这个当记者的哥哥水平高嘛！

就是这样，很多人知道了我的民工弟弟李小顺，当然，还有很多人不知道我的民工弟弟李小顺。

赵老请客

○莫　美

赵老请陈老吃饭。

陈老欣然答应。

陈老一般不接受吃请，但赵老例外。因为赵老是老朋友，还因为赵老炒得一手好菜。虽然赵老比陈老要大两岁，但陈老一直是赵老的领导。陈老信任赵老；赵老自然敬重陈老，每年都要拿出手艺，请陈老吃一顿两顿的，直到陈老退休离开家乡。在异国他乡，陈老思念最多的朋友是赵老，回味最多的美味是赵老的清炖猪脚和爆炒牛筋。屈指算来，已有13年没有吃赵老炒的菜了。时间过得真快。

赵老很是客气，提前把车开来，夫妻双双进家邀请。陈老夫妇颇感意外。相互约定时，赵老说到时来接，陈老坚持要自己去，说又不是不晓得路，要接什么？双方各执一词，并未达成一致意见。陈老一直以为，赵老即使来接，也是走路来接，没想到竟是开车来接，且是夫妻双双来接。客气过了头，反倒显得生分了。陈老在职时配有专车，但每次去赵老家吃饭，都是走路去的——那样感觉很好。七老八十了，退休多年了，无职无权了，反过来讲排场讲客气，何必？

磨磨蹭蹭上了车，见司机是一土头土脑的小伙子，陈老便问：“这是……”

赵老说：“司机。”

陈老笑笑。

赵老补充说："单位的司机。"

陈老又笑笑，见赵老未再补充，接着问："哪个单位的司机？"

赵老说："老科协的。"

陈老终于点了点头。他知道，赵老担任着麻石县老科协主席。

随即，陈老又糊涂了："老科协还配有专车？"

赵老点了点头，笑道："工作需要啊，经常要下去跑的。"

陈老哦了一声，不再问了，但还是没想清楚。一个老年民间团体，有多少工作啊，经常跑什么啊，有什么必要配备专车啊！

车子拐了几拐，在一个名叫"麻石华天"的宾馆前停了下来。在服务生的引领下，陈老一行走过大厅，上了电梯，进了包厢。看那装修，看那服务，看那人流，宾馆的档次估计在四星吧！这个赵老，看来客气到家了。

包厢不大，但很雅致。落座不久，酒菜便来。酒是茅台，已经顶格。菜嘛，第一道是鱼翅汤，接下来是龙虾、花螺等海味，陈老感到过于奢侈，华而不实。幸而最后还是上了清炖猪脚和爆炒牛筋，陈老的眉头才舒展开来。

边吃边聊。陈老赵老聊得最多的自然还是老科协。据赵老说，在所有老年机构中，组织最健全、实力最强大的，是老科协。老科协的组织，可以说是横向到边，纵向到底，县直机关和乡镇都建立了分会。老科协的队伍，有几千人，县里每年只能开一次代表大会。老科协的经费最充足，纳入了各级财政预算，还有一些有钱的单位进行赞助。

陈老点了点头，觉得老科协的组织建设确实搞得很好，没想到这赵老退休以后的能力还有大的长进，随即又感觉好像好过了头，过头之事必由过头之人为之，赵老似乎没有这个能耐。蹊跷！陈老感到蹊跷，便问："你们老科协的组织建设为什么搞得这么好？"

赵老笑笑，说："省里老科协是陈老书记担任主席呀！陈老书记一声令下，谁敢不听？"

哦，陈老又点了点头，他清楚了。陈老书记曾担任省委书记，颇有威望。

陈老问："你们主要做些什么事？"

赵老说："科普呀！"

陈老又问："那在职的科技工作人员呢？"

赵老说："老领导，你这样问就不对了。舞台大了，谁都有施展才华的空间。在职人员有很多无暇顾及的事，我们正好拾遗补缺。"

陈老笑笑，又说："具体说说看。"

赵老说："我们主要在农业科普和医疗保健方面做了些事。这农业方面，我们重点推广紫皮红薯。这种红薯皮是紫的，个大，味道好。"

陈老插问："全县种了多少亩？"

赵老说："最多的时候，种了700多亩。"

全县近20万亩旱地，最多时只种了700多亩，再好的品种也没有发挥效益啊！而且，如果真的好，为什么推而不广呢？陈老心想。

赵老没注意到气氛有些沉闷，接着说："医疗保健方面，我们办了一所医院。"

陈老来了兴趣："投资不少吧！至少要几百上千万吧！"

"个人投资的，挂我们老科协的名，向我们交点管理费。"看陈老不理解的样子，赵老又补充说，"不挂我们的名，就批不了公益性医院，营利性医院要缴税费呀！"

陈老点了点头。原来是这么回事。

赵老又说："我们还编了一本保健杂志，发给每个会员。你想想，如果每期有十分之一的人看，其中又有十分之一人起了作用，那效果就不得了。要为政府节省多少医药费啊！"

陈老笑了笑，没再说话。

赵老也跟着笑笑，说：“我还被评为全国老科协工作先进个人，到人民大会堂参加表彰大会呢！”

陈老还是点头，微笑。

陈老夫人看看陈老，又看看赵老，笑道：“祝贺你呀！”

赵老嘿嘿地笑着。

陈老一直保持一种微笑的姿态。赵老这个人，他太了解了，为人直爽，工作积极，就是读书少了一点，不懂科学，有点盲目蛮干。想不到这样的人退休以后还担任了老科协主席，还是全国先进呢！时间真能改造人啊！

宴会结束，走出包厢。

赵老在吧台签了单。

坐到车上，陈老问：“花费不少吧！”

赵老说：“不多，只3000多。”

吴黑米的手

○陈力娇

吴黑米站在汽车修配厂的门口很久了，他想到这里来修车。吴黑米小的时候看过父亲修车，现在父亲走了，就剩下他和母亲了，他就想到这里修车。

吴黑米修车实在是迫于母亲的疾病。他还是个高中学生，母亲的化疗一日比一日费钱，他就不想再念书了，他想打工挣钱。

汽车修配厂的老板见吴黑米总是在门前转悠，就出来问吴黑米，你想干什么？抢劫呀？吴黑米说，我不想抢劫，我想在你这儿打工挣钱。老板看看吴黑米的穿戴说，你穿得这么好，还用出来挣钱，你怕是不愿念书了吧？吴黑米说，我妈快死了，我想挣些钱，让她吃得好一点。老板说，那你只能修车，我这里没别的活儿。吴黑米说，我就会修车，不会干别的。

他们就这样谈定了。吴黑米很高兴。

吴黑米晚上回家，母亲躺在床上。母亲的身体已经像一盏熬干油的灯，十分虚弱，她每日坚持去医院化疗，每天都坚持自己走回来。

吴黑米说，妈，以后去医院坐车吧，我找了一份工作，怎么也够你打车的了。母亲一惊说，你不念书了？你不念书妈可就没什么指望了，你说什么也不能辍学呀。母亲说着一阵咳嗽，咳出一口血吐在雪白的餐巾纸上。

吴黑米忙去扶母亲，他知道他说多了，他知道出去打工的事不该让母亲知道。扶母亲重新躺在床上，吴黑米说，我只是说说想法，我能随便放弃学业吗？妈指望我什么我能不知道吗？

母亲听了他的话，满足地闭上眼睛。她的呼吸终于平稳了，吴黑米看到，母亲的眼里滚出两行清泪。

第二天，吴黑米背着书包，和母亲告别上学去了。可他还没走出他家楼区 200 米，就转变了方向，他去了汽车修配厂，他要开始一天修车的劳作。

吴黑米对修车有天赋，几乎不用人指点。老板很赏识他，决定提前支付他半个月的工资。吴黑米盘算，这钱够他母亲做三天化疗了，尽管少了点，吴黑米还是觉得挺值，至少能帮母亲减轻三天的痛苦，或者说延长三天的生命。

放学的时候，吴黑米对老板说，我该回家了，不然我妈该看出来了。老板应允。

可是尽管吴黑米小心，把他的手洗了无数次，母亲还是看了出来。母亲拉着他的手，左看右看，看了手心看手背，最后她从吴黑米的指甲缝里看出了破绽。

母亲说，儿呀，你还是瞒着妈去干活儿了，你看你的手指甲，藏着许多油污，你从小妈就给你洗脸洗手，妈对这手要多熟悉有多熟悉，能不知它有什么变化吗？

吴黑米只有羞愧地低下头。吴黑米的母亲泪如雨下，又说，儿呀，妈活不了多久了，你放弃学业不值啊，你就是挣个金山来，也留不住妈呀，你明天马上回学校吧，你若不回妈就撞死在你面前。

母亲说着就要把头往墙上撞。吴黑米忙拉住母亲，他向母亲保证，妈，我不去干活儿了，我一定回学校读书，读出个样儿给你看。吴黑米的眼泪流了出来，母亲这才停止了轻生的念头。

第二天，吴黑米上学了。走时他回头看了母亲一眼，母亲昨晚折腾一夜，到天亮才睡着了。吴黑米看着熟睡中的母亲，悲伤不禁从心而生，他几乎没用多想，就又去了汽车修配厂。

到了修配厂，他换上了工作服，投入了繁忙的工作，这都与以往他工作的程序没什么区别。只是到了晚上，老板看到吴黑米在修配厂的门旁竖起一块牌子，牌子上写着“免费洗衣服”。牌子的脸儿是向里放着，这说明吴黑米的义务劳动，是对着修配厂内部的人。

老板非常不解，问吴黑米，你的活儿干得不错，为什么还要增加额外负担？吴黑米不吭声。老板又说，干了一天的活儿，你要保存体力，第二天我还需要你。吴黑米这才说，我不耽误活儿，第二天我一样能干好。老板还是不罢休，他说，那你也得告诉我是怎么回事，不然我这儿不允许别人随便洗衣服。吴黑米无奈，这才迟迟疑疑向老板伸出一双黑黑的油手，他说，我不想让我妈看到。老板明白了，他很爱怜地摸摸吴黑米的头，眼睛有点湿，末了他说，从明天开始，你给我做食堂管理员吧，那样你的母亲就看不出你的一双黑手了。

给你机会，感受爱

○刘　玲

她是我的同事，早上点名时坐在我右侧隔几个人的地方。她的皮肤是不加修饰的自然色，衣服较多是过时的，头发随便散着或毫无生气地束起来，我注意到她束头发的皮筋时常裸露到丝线外。我不喜欢观察人，但我不得不注意她。

认识她是在十年前，我们都还是小姑娘，也不在一个单位，那年我们一起派往邻县服务高招。她在我们的队伍里很显眼，直发披肩，一套合体的蓝色套裙，举手投足流露出与生俱来的高贵。在饭局上，她得体地谦让说笑，让穿着牛仔束着马尾的我更加流露出青涩与张扬。那时，我特想有一天能像她，如一颗钻石在一堆灰瓦中溢出光彩来。

几年后，我们成了同事，这时都已身为人母。她仍然不时尚，但她典雅的气质倒是尘封不住，我们的交往淡然若水，只知道她的丈夫就是我所熟知的那个才华横溢的音乐老师，我当时释然：这样优秀的两个，该是一家的。

不长的时间，她查出脑子里长了瘤，去北京治疗的日子里，大家都在猜测会是“良性”还是“恶性”，最坏的结果会是什么。依我们的交情，我不会因此痛彻心肺，但当我想起那个盛夏她走在烈日里手遮前额淡如兰花的剪影，心也隐隐痛起来。

两年后，她来上班了，我们依然没有机缘走得很近，但她的变化我看在眼里，气色差了，身材也比以前臃肿，隔年的衣服都会拿出来反复穿。我想：经此磨难，又四下欠债，她的生活肯定困窘到了极限，那时候的我想象不出还有比身患重病四处举债更令人痛心的事情，我的同事，她一定丧失了对美好生活的憧憬，心里一片阴郁。

我坚信我的想法，并对她有了怜悯之心。

这时，也就是2006年，我的婚姻走上了末路。

也就在那段时间，我和她参加了县妇联组织的一次活动，活动中的一段舞蹈需要扎辫子，我是短发，在一群长发的美女中间显得很突兀。演出当天，她为我带来了一顶漂亮的假发，她小心地为我试戴，并说起这顶假发的来历，“这是在北京动手术的前夜，我爸爸冒雨到王府井为我买下的，是最贵的一款，因为第二天我就要剃光头了”。我一时无语。她又说，手术前夜，她的母亲为已经做了母亲的她擦了一次背。她在我身后抚摸着假发，我可以感觉到她在竭力抑制内心翻动的情感。

情无所依的我突然很想念近在咫尺的亲人。

因为这次活动，我们渐渐近了起来，也就在这个时候，我结束了自己的婚姻。

我，对生活没有什么打算。

我认为生活就是这样了，生活是不公平的，不用苦心经营它……

一个冬日的午后，我和她沐浴着清冷的阳光，在办公室围着窗边的炉火谈着关于孩子的话题。我认为她和我一样，我竭力营造一种同病相怜的气氛，我甚至认定她一定没有心思再听她的丈夫给她弹钢琴。

但她又一次深情地谈起了她父亲买的假发，她母亲为她擦的一次背，我无语。她又神采飞扬地谈起教过的学生里，有一个是县长的女儿，她生病的时候，县长提着上千元的红酒去看她。神情充满了自豪，调侃的语气让我们轻笑起来，我问：县长送的红酒好喝吗？她幽幽地叹下气来：还没喝。继而又坚定地说：“我和丈夫说好了，等还完了账再喝，到时候一醉方休……”

我当时没有流泪，但当我第二天把这件事讲给挚友时，泪如泉涌。

我的同事，其实她是那么地热爱生活，她不再用心打理长发，但她一定会打理自己的心情，她素面朝天，但她依然笑靥如花，她穿着旧衣服，但她每个清晨一定是在旧衣服堆里拣拾了快乐，我毫不怀疑，她一定常常用心倾听丈夫的琴声……

于是，我在心里也拥有了一瓶红酒，我告诫自己：微笑着面对生活，不管一切如何……

我的同事说，生活会给予我们磨难，但只要没有夺走我们的生命，那就是生活在给我们机会感受爱，即使夺走了生命，爱，也会在你生命的最后一息，如潮用来……

阳光一隅

〇秦德龙

一个人蹑手蹑脚地走进了图书馆。虽然，他不是蓬头垢面，但看上去衣衫不整。人们都觉得他很面熟。在哪儿见过他呢？

对，在大街上。他是个乞丐！

尽管他没有声张，尽管他藏头藏尾，人们还是认出了他。

没错，他就是个乞丐。文雅点儿说，是个拾荒者。

他进图书馆干什么？读书吗？真是笑话。一定是到图书馆要钱来了。现在的乞丐，和过去不一样了，不要饭，只要钱。你说你兜里没零钱，他说给整钱吧，我可以找你。啧啧，这就是现在的乞丐。时代不同了，乞丐也理直气壮了。

这个乞丐从书架上抽了本书，坐到一角，读了起来。

投诉者找到了图书馆馆长，要求把乞丐撵出去。

“图书馆是高雅的地方，怎能允许乞丐进来呢？”

“也许，乞丐需要精神食粮。”馆长说。

“乞丐会不会顺手牵羊呢？”

“我情愿图书被盗，也不愿意没有人读书。”

“乞丐身上会不会有虱子呢？会不会将蟑螂带进来呢？”

“我无权拒绝乞丐进来读书，但其他读者可以选择离开。”

投诉者讨了个没趣，但并没有选择离开。他来到了乞丐面前，审视着对方：“你是怎么进来的？”

“从大门进来的。”乞丐抬起头来，不卑不亢地说。

“我是问你，门卫没有拦你吗？”

“拦我干什么？图书馆对所有的人免费开放。”

“你读书有什么用呢？”

“我在寻找一扇门。”

“你说什么？你想在书中找到黄金屋吗？”

“你说的不完全对。读书可以带来快乐，读书可以医治愚昧，读书可以拓宽视野。”

“这是乞丐说的话吗？”

“请你不要瞧不起我。告诉你，小时候，我也戴过红领巾，也有过梦想。”

“你的梦想？说说看。”

“不告诉你——我的梦想，永远在我心里。”

“真有意思，乞丐也有梦想。我看，只能是幻想。”

投诉者不屑地瞟着乞丐。围观的人，露出了复杂的笑容。

投诉者气哼哼地走了。他联络了几个同僚，以“普通读者”的名义，草拟了一份意见书，交给了馆长。

馆长看了看意见书，将乞丐喊了过去。“放心，我不会撵你走的。我们是开放的图书馆，对读者一视同仁。”馆长对乞丐说。

“我知道，你有难处。需要我做什么，你只管吩咐。”

“就算对你提个要求吧。读书之前，请你把手洗干净，好吗？”

“没问题！”

第二天，乞丐带来了一块牌子，牌子上有几个字：乞丐洗手处。乞丐把牌子放到了卫生间，洗干净了自己的手。

投诉者看到了这个细节，却不甘心。他对几个同僚耳语道：“不会是图书馆在炒作吧？如果是的话，我们帮帮忙。”说完，他给电视台打了个电话，请记者过来。

乞丐看见了电视台记者，起身离开了图书馆。

“请问，你为什么来图书馆呢？你坐公交吗？你洗桑拿吗？你到电影院看大片吗？”记者穷追不舍，发出了连珠炮似的询问。

乞丐一句都没有回答，只留给摄像机一个背影。

当天晚上，电视台播出了这个背影。

人们看了电视新闻，忍不住议论纷纷：乞丐可能是个思想家，可能本身就不是个乞丐；也许，从前是个思想家，现在穷困潦倒了；也许是个艺术家吧，在搞行为艺术。

乞丐却没有再到图书馆来。每天，他在大街上捡废纸，凡是有字的废纸，他都捡。捡了，认真拜读，然后，卖给废品站。不知怎么，电视台又发现了这条新闻线索，采用隐蔽摄像头拍摄，弄出了些花絮。观众又看到了，并听到了，电视新闻的画外音是：“他是个有文化的乞丐，喜爱读书，对方块字特别敬重……”

图书馆的馆长看了电视，在大街上找到了他。“你想读书，就回来吧。”

就这样，他跟着馆长，回到了图书馆。每天，馆长给他安排些杂活。干完活，他就去阅览室读书看报。

电视台的记者又来了。

馆长充满深情地说：“找到他的那天傍晚，我发现他正在路边读报。夕阳的光辉，洒在他的脸上和肩膀上。当即，我就萌发了将他请回来的念头。”

面对电视镜头，乞丐什么都没说。

记者已经有了采访的腹稿，开头语是这样的：“阅读是一扇美丽的窗口，通过它，我们可以发现生活原本是这样色彩缤纷。”

买房记

○苏三皮

看房是一件累人的活计，售楼小姐那温柔的陷阱让你防不胜防，而老婆的聒噪就更加烦人。问题是，没有房子就没有家，没有家又如何能心安呢?

金子园的售楼小姐倒是十分坦诚的样子。带我们看楼的时候，她很中性地对楼盘作了介绍，甚至将楼盘一些设计方面的缺陷也告诉了我们。相比于其他售楼小姐将楼盘说得天花乱坠，我有些心动了。但是，价钱远远超出了我们的盘算。老婆捅了捅我的腋窝："就你一个破医生，这辈子都别想。"说完，拉起我就走。售楼小姐急忙拦住我说："苏先生原来是医生，正好我有些医学方面的问题想请教您，不介意我耽误您几分钟吧?"我用眼光征求老婆的意见，她将头扭向了一旁——这大抵是默许了，我便又坐了下来。

她说她叫刘雯雯，几乎每个月都会献一次血，但最近经常头晕眼花，问我是不是因为献血导致贫血的缘故。我有些吃惊地问她："怎么可能?献血的间隔期是半年，你怎么会一个月献一次血呢?"她略带羞涩地说："我知道的，因此每次献血我都不会出示献血证，也不断地更换献血地点。"说着，她捋起袖子，肘窝果然密密麻麻地布满了针眼儿。我说是否贫血现在不好下定论，叮嘱她最好到医院做一次血常规检查。她千恩万谢过了，又问我能不能给她留下电话号码。说着的时候，她又忙挽起我老婆的手，对我老婆说："嫂子您千万别误会，我只是想以后碰上什么问题时好向苏医生请教。”伸手不打笑面人，老婆也算是默许了。

过了两天，刘雯雯果然打我电话。在电话里，刘雯雯有些着急地问我一些关于骨髓配型的问题。我忙问她，又怎么了？她说有一个叫刘晨的孩子，白血病，现在躺在医院里已经奄奄一息了，她想给刘晨捐献骨髓。我吃了一惊，便劝她说，这可不是闹着玩的，你必须考虑清楚。她说已经想好了，她不忍心看着一朵娇嫩的花儿凋零，要是她在这个现实面前无动于衷的话，那她的良心将一辈子无法安宁。一时间，我感到十分羞愧，在她面前，我的想法以及行为甚至有些卑鄙了。但是，我还是好言劝她捐献骨髓一定要慎重，毕竟手术中会有一些不确定的因素。她说她无论如何也要挽救刘晨的，哪怕搭上自己的性命。说完，就挂了电话。我不禁感叹，这是怎样的一个女子，竟然将一个素不相识的人的生命看得比自己的还重，简直不可思议。

一个星期后，我在一家咖啡厅见到了刘雯雯。她的脸色有点儿苍白，但整个人看起来神采飞扬。我问她：“碰上什么好事了？”她激动地告诉我说：“与刘晨的骨髓配型成功了，这下刘晨就有希望了，过两天便进行骨髓采集。”我说：“恭喜。”她狠狠地瞪了我一眼说：“是不是医生对死亡见得多了，心肠才会这么硬？”一时间，我竟无语。她打破了僵局，说了很多关于刘晨以及刘晨父母的事。她说刘晨十分可爱，搂着她的脖子叫她妈妈，而刘晨的母亲，那个才三十出头的女人，因为女儿的病已愁得白发苍苍了。她羞涩地补充说，我才刚过二十岁的生日，被一个孩子叫上了妈妈，这是多么幸福的事情啊！而后，我们的话题自然而然地转移到了房子上。就在那一刻，我终于下定决心，签了购房合同。

回到家里，我对老婆说：“我签了合同了，金子园那套。”老婆当即跳了起来：“你是不是疯了？难道你想一辈子都当房奴？你最后还是中了她‘好人计’的圈套了！”我没有回老婆的话。我心里想，哪怕这是一个圈套，我也愿意相信其中的美好。

钱老师种田

○徐常愉

新学期开学第一天，小丽放学后一蹦一跳地回家来。康林早在院子里等女儿，见了女儿急忙问道，分到谁的班了？

小丽答，钱老师的班。

康林皱起眉头问，真的？

小丽点点头。

康林一拍大腿唉了一声，分到哪个班不好？偏偏分到他的班。

小丽说，分到钱老师的班不是很好吗？他跟咱们可是邻居啊。

康林说，好啥，你没见他整天只知道侍弄那一亩三分田，也没好好教学生啊！

小丽撅起嘴说，爸爸，你怎么能这么说钱老师呢？

康林说，咋，我还冤枉他了？你没看见他每天早晨起来第一件事就去锄田，太阳老高了才回来去上班；放学了，他比学生跑得还快，到了家扛起锄头就奔田里。他的心思根本没放在教学上。

小丽知道辩不过爸爸，索性不理爸爸，进屋去了。

康林在院子里急得直跺脚，我娃命苦啊！摊上这么个老师，学习好得了吗？

找校长去！学校就在村东头，康林三步两步就到了。幸好校长在学校值班，康林见了校长顾不得缓口气，说，想给小丽调个班。

校长问，为啥？

康林说，钱老师教学不认真呢。

校长问，你听过他的课？

康林摇摇头。

校长说，没听过就不要随便评价人。

康林说，那钱老师整天只知道种田，哪里会好好教学生啊？

校长说，他教得好坏，我心里有数，还轮不到你说三道四。

校长说着把脸拉下来，康林张了张嘴把后面的话咽了回去。校长是康林本家族的长辈，康林不敢顶撞，只得悻悻地回家去。看到小丽，无话可说，只能听天由命了。

还好，一个月下来，小丽的成绩并没有下降，相反还有上升的趋势。而且小丽每天回家来都讲他们的钱老师。说钱老师有趣，说钱老师讲课细致，说钱老师有耐心……说得康林心里没了底，早晚又偷偷地观察钱老师。

钱老师还是老样子，一大早起来脸都顾不得洗就下田，放学回来一溜小跑，到了家连屋也不进，扛着锄头就走。

康林嘴一撇，这样的老师能教好学？

渐渐地，村里有了些流言飞语，都是针对钱老师拿着国家的工资却起早贪黑种田的事。传到钱老师的耳朵里，钱老师根本不介意，依旧专心种他的田。钱老师侍弄庄稼细致而耐心，他把每一棵庄稼都当成自己的孩子。庄稼渴了，他浇水；庄稼饿了，他施肥。从不叫庄稼受一点儿屈。秋收的时候，钱老师家的玉米棒子又粗又长，比专门在家种地的人家收成还好。康林见了揶揄钱老师道，钱老师田种得好，教学生也一样好呢！

钱老师呵呵一笑，无语。

还真叫康林说对了。期末考试，钱老师班级的成绩名列全镇第一，钱老师还得了2000块的奖金。

康林听说了，歪着脑袋打量钱老师老半天，服了。再看见小丽背着书包上学去，康林心里有了谱，我闺女有前途喽！

没想到，转年镇里建果汁厂，把钱老师的一亩三分田给占了。虽说钱老师得了一笔不小的补偿，可钱老师却不高兴。早晚都闲了起来，钱老师满脸茫然地望着自己那一亩三分田出神，丢了魂一样。

精神状态不好，自然影响了工作。学期末，钱老师班级的成绩下滑到全镇第五。钱老师满脸愧疚地跟乡亲们解释，今年没田种，耽误了教学。其实，这种田和教学是有联系的，只有侍弄好庄稼，才能教好学生。

这叫什么理论？“钱老师理论”？

可是不管什么理论，孩子的学业耽搁不得。康林反应快，他一把抓住钱老师的手说，钱老师，我东洼那一亩半田给你种。白种，不要租金。

钱老师听了眼睛一亮，来了精神头，问康林，真的？

康林说，那还有假，关系到孩子们的前途呢！

钱老师看着满脸焦急的康林，脸上露出了笑容。

为自己歌唱

〇栾承舟

中午下班后，我去五金店配钥匙。刚把钥匙递给服务生，就听到一阵悠扬的歌声，像掠过水面的一阵清风，低回婉转，动人心魄。抬头一看，只见对面过道上的一个摊位前，一个四十来岁的中年男子正在摇头晃脑、自得其乐地歌唱。

我走出店门，走到他的摊位前，在他对面坐下。他抬头看了我一眼，点点头，继续他的歌唱。在他面前一张矮矮的小木桌上，放着一个酒杯，一瓶本地酒厂生产的白酒，一个馒头和两根香肠。看来，他的午饭要在这里解决了。

唱完歌，他端起杯，“吱”一声呷了一口，然后，上下打量我一眼，目光亲切、友好：“你要修鞋还是修车?”

“都不是!”我说，“过来看看你。每天都听到你的歌声，唱得真好!”

他一听，笑了：“我也常看到你，骑着车子从这里过去……”他指指我身后的柏油路。

“收入好吗?”

“怎么说呢？也行吧。”他喝一口酒，拿起一根火腿肠咬了一口，“咱也没有什么其他的手艺，还能干啥?”说着，他的眼里漾起一层迷茫的雾，眼神迷离起来，一时间没有说话，沉默了。

我指指穿街而过的人流：“你这样乐观，感染了多少人啊！你看，大家都在笑着看你，这笑，可是你送给他们的啊……”

听了这话，他高兴起来：“我送给他们的？”

我点点头，说：“对呀！前几天，我遇到了几年来最大的一件难事，心情很压抑。一天，下班后从这里路过，听你在唱《塞北的雪》，听着听着，我的心情也好了起来……”

“你是只看到我的现在，不知我的昨天啊！”他咂巴一下嘴，“我是国企办公室的工作人员，今年正月下岗了。那天，我不知自己是怎么回的家，心中翻来覆去地想，这下完了，完了，还怎么出去见人？人家会怎么笑话我？再说，干了二十来年的行政工作，无一技之长，能干什么？以后的日子怎么过？”说到这里，他再次沉默了。

我忙指指他脚旁几双修好的鞋子：“你的技术不是很好吗？你看，修得多好，就像新的一样……”

他笑了：“这要感谢我的妻子。没有她，我真走不出这一步。那几天，她反复做我的思想工作，开导我，说自食其力，不偷不抢，有什么难为情的？”他的语调渐渐地兴奋起来，“她要我跟岳父学习修理自行车，先干起来，看行不行，不行再想别的办法。就这样，我学习了一个月，购买了工具，终于硬着头皮走了出来……”

我望着他，聚精会神地听他的倾诉。

“开始，我怕碰到熟人，见了他们就赶紧低头。谁知有一天，我以前的同事阿芳来修自行车，认出了我。看着她那惊诧的表情，我笑了。从那以后，还真不错，许多朋友、同事知道了我摆摊的消息，都来照顾我的生意，宁愿多走几步也赶过来……”他端起杯，喝一口酒，然后，抹一下嘴，“一个月下来，我一算，比上班时挣得还多。时间一长，心理也就平衡了。走到哪山就唱哪山的歌，不管怎么样，咱得适应。后来，我又买了缝鞋机，有什么活儿就干什么活儿。现在，我是彻底完成角色的转换了。有时天气不好出不了工，就浑身不得劲儿。晚上没事儿，我就让岳父带着我去访名师，多方求教。我不是吹，我的手艺在这道街上是数一数二的……”

“第一次听到你的歌声，我还以为是在拍电视剧呢！你的歌唱得还真不错!”

他有点不好意思：“那天太累了，不停地忙活了一上午，完工以后，不知怎么就吼了一嗓子。一个路过的小女孩立时停住脚，为我鼓掌。从那以后，我干完活儿就唱；有时兴致来了，就一边干活儿一边唱。古人不是说‘不如意事常八九’吗？咱现在岗位变了，能够吃上饭，咱为什么不笑？为什么不唱?”

“对！该唱，笑着面对人生风雨。”我说。

“为了你这句话，我要请你喝酒。”他端起酒瓶，倒满酒杯，递到我手中。我端起杯：“为你的今天，也为你有一个更加美好的明天，干杯!”

没走多远，又听见了他的歌声，那略带沙哑、真诚而执著的歌声……

你和我的青春

〇李　一

生命，好像一朵花，却是开在穷乡僻壤的无名野花，花上可怜地长了两朵花瓣，一瓣写着“你”，一瓣写着“青春”。

你

你是我身边必将匆匆离去的过客，还是上帝派来注定相守一生的真爱？对于你我还不熟悉。

你，当我几年前第一次发现离开你很别扭时，我知道，我已经情不自禁了，我已经难以自拔了。爱的感觉好奇妙，好浪漫，也好忧伤。我想，也许我爱得太早了，太早的爱总是因缺少的太多而难以成熟。我想，也许我爱得太晚了，晚到错失一步就将永远分离，晚到再晚睁眼一秒，你就已消失了。爱觉醒的那一瞬我伸出手去抓你，却只抓到一丝清风，半片残影，不知道是喜是忧。时间就像一阵风，差点吹走我衣角的一块胸标，谁知道那胸标上，印的是“刻骨铭心”。

今晚又见到你了，你和朋友在超市物品架前徘徊，琳琅的商品吸引着你的目光，可谁能看见你唯美的背影，正吸引着我的目光。今天是“圣诞节”前夜，是“平安夜”吧？同学互送着礼品“平安果”、“平安橙”什么的，我们一大堆单身男同胞没人疼没人爱的，我来买点橙子味棒棒糖，回去送给大家一起将就着过吧。

可谁想到你也在这，我有点激动，也有点害羞，你的朋友叫我，你也看到了我，说："嘿!"我就"嘿……啊……呜……"地支吾了几句。不知道为什么，每次直面你我都很害羞，无话可说，不能像每次网上聊天那样口若悬河，也不能像现在这样，走笔如飞。我爱你，却怕被你发现，这是什么感觉?

特意多拿了两个棒棒糖，希望送给你和你的朋友，回过身，倒着走向出口，"要……啊……"我本来要说："要不要请你们吃棒棒糖啊?"可没说出口，你在和你的同学打招呼，而我也没有再张开嘴的勇气，大概怕你不会喜欢这"平安橙"味的棒棒糖吧。分糖时，我没给自己留下，有一天，不知道能不能吃到你送我的东西，一块糖也好呀。

青　春

人们总觉得青春是一棵繁茂的树，一汪喷薄的泉，可我想，青春即使繁茂也在锐减，落下一片叶子便真的落下一片，不会再更新，不会再补回；青春即使喷薄也在流失，涌出一股便真的涌出一股，不会再增加，不会再渗流。至少，是我的青春。

老实说，我并不喜欢青春，青春躁动，青春张狂，青春无知，但我逃避不了青春，大好的几十年在青春的国道上飞驰着，留下的阵阵痛或笑，是我一生的财富。

我的青春不青春。也许脸上没像别人那样林立着青春的烙痕，于是潜在心底的空虚，无奈，落魄，哀伤便躲在心底，誓与痘痘同生共死，乱我心志；也许做事没像别人那样总是轻率，于是凝固在身体里的躁动，张狂，轻浮，傲慢便驻军在身体里，警告我不去体验青春便与满腔怒火同舟共济，烦我精神。

再也许，这就是我的青春了。只是和别人比起来，来得更平静，来得更安稳，来得更隐秘。青春告诉我怎么去爱，怎么去恨，怎么去期待，怎么去想象。我的青春迟一步来晚一步去，把激情平分给每一分钟。

今天晚上晚自习，我给同学传条：“你相信世界上有爱吗?”他回：“什么爱?”“就是……就是真爱，那种超过SEX的LOVE?!”他沉默了许久，可能是同病相怜的原因吧，他回道：“中国的战士们唯一的爱人便是他们的枪……”

记得有位天才少年作家写道：“谁的青春有我狂?!”

我不知道，体验过疯狂的青春，沉思是不是也是一种美。

你和我的青春

我不知道上帝留给我多少青春，但我知道上帝只留下了唯一的你，给我？不敢说。我不知道你有多少青春会属于我，但我知道，我已把我整个青春献给了你，你知道？不会的。

总是觉得离你很远，你很神秘，就像我无法驾御的青春。每次寻你，都只是徒劳，你总是在我不经意间出现却又琢磨不定地消失，好像一个顽皮的精灵在与我玩笑。

可我却笑不出来。每次见到你都会有种莫名的沉重聚集在心头，压成一堵墙，一座山，压得我上气不接下气，却总想对你保持微笑，告诉你有你一切都好。每次见到你，都像是在继续一个也许要一辈子去完成，也许很难完成，也许不可能的任务，我好想躲开，躲到背后去看你，我会看痴，我会看醉，却永远不会看累。

青春，很混乱，乱到我神志都不清，不知道是不是因为你的存在，让我清醒到现在。青春，很悲伤，伤到我生活都无力，不知道是不是因为你的存在，让我在闲暇之余，想像出一份快乐。

每次和你碰面，都有想去拥抱你的感觉，从正面还是身后抱住你，用我的脸贴着你的脸，靠在你的耳边，耳语着告诉你，我多么爱你，多么想你，多么期待你，多么在乎你。我就想一直这样抱着你，不顾你的吃惊，我的害羞与整个世界的尴尬……可惜，我不能，大概也不敢，于是终究不会那样把我的心贴着你的心，让你听到我的心跳得多么热烈，多么激昂，又像我的青春一样，多么脆弱。一次一次，你就那样从我的身旁溜走，掠过，偶尔投来一个笑，一声问候，让我无法忘怀。你伤害了我，却不知道，因为我爱你。

想起了好多往事，好多笑，好多泪，好多偶遇的瞬间，好多想你的夜晚。于是思想定格在了某一个晚上。

赔　偿

○刘建国

演习的时候因为七连指导员家中有急事，领导让我到七连蹲点，代理一段指导员工作。因为我是机关下来帮助工作的，连队干部都非常支持和尊重我，也没有安排我做具体的工作。

那天我们连队急行军到某地集结途中，汽车在一处公路上行驶。因为是急行军，路上速度自然比以往要快一些，平均速度在每小时 60 公里左右。

途中，我发现一位老农赶着一头猪，慢慢悠悠地走着。我在前车负责引路，司机鸣了几下喇叭，老农把猪赶到了路边。我告诉司机慢点儿，防止后边车速过快出事。

有时候往往是你越怕出事越出事。那头猪在我们连队六辆车过了三辆的时候，突然转身奔向汽车，一头钻进第四辆车前轮下面，哼了一声就死了。

老农一看傻眼了，一屁股坐在地上哭了起来。我和连长虽然感到很憋屈，可事还得处理。连长问老农："大爷，你赶这猪到哪儿去?"

"我去给猪接种，回家去，没想到出了这事。"老农说。连长又问老农那头猪能值多少钱，老农告诉连长买猪崽的时候也就七八十块钱，他已经养了一年多，要按市场价卖，估计能卖三四百块吧。

按常理，我们赔三百多块钱也未尝不可，可是因为演习已经接近尾声，再因为司务长临时回团部办事，一时还真凑不了三百多块钱。

事前我们商量好的“底线”是150元钱，外加一袋面粉、一袋大米。我们也非常清楚这点儿东西和那头猪的价值相比有点儿少，但那也是我们当时能拿得出的所有东西了。我把我们的苦衷和所能给付的补偿和老农一说，老农嗫嚅了半天才说：“既然你们只能出这些，我也不能为难你们，那就这些吧。问题是这些东西我没法拿回去，你们能不能给我拦辆去××镇××村的顺路车?”我说那给你试试吧。

因为总感觉有点儿对不住老农，我说如果你感觉这点儿东西太少，明天可以到××乡××村找我们，我们在那儿休整一天，后天走，可以到兄弟连队给你借点儿钱或东西。

顺路车是拦下了，老农小心地把钱揣进衬衣口袋，把面粉和大米装上了车，坐上车就要走。

我拦住车，告诉老农死猪也是他的，他可以一并拉走。

老农说这不好吧，你们已经赔了钱，猪该给你们。连长说这是我们赔偿的规矩。说完让战士把死猪给老农抬上了车。

第二天上午，通信员跑到我和连长住的帐篷里说：“连长、指导员，不好了，昨天被我们撞死猪的那个老农找来了。”

老农一看我和连长冲上来就抓住我俩：“哎，可找到你们了!”

没等我俩说话，回身就向一位推车的中年男子喊道：“儿子，在这儿，在这儿。”

那位中年男子推着一辆手推车，车上盖着一块塑料布。老农一把揭开那块塑料布：“看看，这是昨天那头猪，回家我和儿子就扒了，我寻思着自己也吃不完，留了一半自己和亲戚们分了吃，这一半就给你们送来了，给战士们改善改善伙食吧。”

我和连长都愣了，都在嘀咕收还是不收。

好在刚从团里赶回来的司务长机灵，上去拍拍那猪肉：“这肉不错，炊事班长，来，拿过去称一下。”

我们把老农和他的儿子让到帐篷里喝水——老农和他儿子非要走，被我和连长拉进了帐篷。过了一会儿，炊事班长进帐篷和司务长耳语了几句。

司务长从柜子里拿出些钱，塞给老农：“大爷，您送来的猪肉是98斤，按市场价2.4元一斤，这是235.2元，您点点。”

老农连说：“不，不，不，这是我送给你们的，怎么能要钱呢？再说昨天这两位领导已经把钱补偿给我了，这权当是我替你们干了点儿活儿。”

我们给老农讲了部队的纪律，一致劝说老农把钱收下。

老农和儿子临走的时候，还一个劲儿地说：“你看这事整的，我送来肉是不要钱的……”

苏保安的错误

〇李培俊

苏保安的错误发生在下午五点半，职工正下班的时候。

那个女人远远地向大门口走来。那个女人一出现，苏保安就注意到她了。这是个很好看但也显得很憔悴的女人，眉眼和脸型透着她这个年龄的成熟和干练，也有着做了一天工的疲惫和乏累。女人的工装还穿在身上，显得十分臃肿和笨拙。

女人从门卫室窗口经过的时候，苏保安看到，女人眼里掠过一丝隐隐的慌乱和不安，还有不大自然的微笑，那微笑很僵硬，像戴着一副做工粗糙的面具。苏保安还看到，女人走过时，夹紧了右侧的肩膀。

苏保安只知道女人姓杜，具体名字说不清楚，是成衣车间的一名职工。当姓杜的女工就要走出大门的那一刹那，苏保安从坐着的凳子上站了起来，走出门卫室的门。他这时应该说声“你站住”的，但他没有说，就让她那么过去了。苏保安知道，女人的腋下是一件质地柔软的连衣裙，是最近公司新加工的童装。苏保安也知道，这是偷盗行为，而保护公司财产、制止偷盗是保安的基本职责。

正在苏保安这么想着犹豫着的时候，女人已经走出大门，拐进了一条狭窄的小巷。苏保安想了想，算了，全当我没有看到吧。

可苏保安明明看到了，女人就从他的眼皮底下过去了。作为保安，这是不应该的。

第二天上午九点，经理把苏保安叫到了经理室，经理的板台一角放着那件童装连衣裙，用一个薄膜袋子装着，有几朵绣花从袋子里透了出来，蓝蓝的，煞是好看。

经理说，你们保安是干什么吃的？这件衣服是昨天下午从公司拿出去的，从你们眼皮底下拿出去的！今天早上又还了回来。

苏保安说，我知道。

你知道？经理十分惊讶，也很愤怒。这么说，你是有意放她出去的？

是的。苏保安点点头，又说了一声，是的。经理，咱不说这件衣服的事，咱说些别的好吗？

没等经理接话，苏保安说，就在昨天下午，我去了一名职工的家，正要敲门时，听到母亲对女儿说，孩子，今天晚上不是要去看望姥姥吗？我们不能穿得太寒酸，那样，姥姥会伤心的。这不，我给你借了一件连衣裙，你只能穿一个晚上，明天就要还给人家。

女儿很乖地说，可以。

母亲又说，等这月发了工资，妈妈给你买一件。

女儿说，我不要，只穿今天一晚上就够了，省下钱好为我爸治病。

母亲哭了，抱着女儿，把泪一汪一汪地濡湿在女儿的脸上。

进去以后我才知道，女工的丈夫半年前遭遇车祸，几乎成了植物人，她花光了家里所有的积蓄，还欠了一屁股债。她每月的工资，除了留下100 元作为母女的生活费用，其余的全部为丈夫治病，也就没钱为女儿买衣服了。说到这里，苏保安突然问经理，这件衣服的出厂价是多少？

经理说，30 元。你问这个干什么？

苏保安哭了，他说，30 元她都掏不起呀，经理！我没想到她会还回来……这件衣服的钱我掏了。

经理问，这个女工是谁？

我不能告诉你。真的，我不能告诉你，我知道那将意味着什么。

经理说，你必须说！

我不说！苏保安说得很坚决，我情愿自己下岗。

经理低头在一张便笺上写下几行字，然后对苏保安说，你明天不用到门卫室上班了。

苏保安说，可以，但你也不要再追查衣服的事了，好吗？

苏保安说罢扭头要走，经理唤住了他。

苏保安问，还有事吗？

有。经理的眼睛也有些发红，他把刚刚写好的那张便笺连同连衣裙递给苏保安，说，请你到财务科支取1000元现金，和这件衣服一起送给那名女工，就说是公司的一点心意。还有，你今天就到工会报到，把这一块儿的工作好好抓抓。

流泪的猪猪

〇包利民

早晨的时候，猪娃便赶着一群猪到野外，猪们四散去觅食，猪娃坐在树荫下，一遍遍地数着那些猪。

猪娃这年十岁，她是孤儿，在村里吃着百家饭，从六岁开始，就给村里人放猪。那些猪渐渐地和她都熟悉了，每天早晨，她站在村中，稚嫩地喊上一嗓子，各家各户的猪便从院里跑出来。于是乡亲们都开始叫她猪娃，也没有几个人知道她叫什么，猪娃猪娃地叫着，日子便如河边的青草，黄了又绿。

整天地混迹于一群猪中，猪娃似乎已经习惯，她瘦瘦的，头发也发黄，看着那些圆滚滚的小猪，长成大肥猪，她的心里很是高兴。仿佛那些猪是她的伙伴，是她的孩子，她照顾着它们，爱着它们。

上午的时候，猪们吃饱了，便纷纷躺倒在河边，大睡。猪娃便从树荫下起身，跑回村头，站在小学校的教室墙外，听着里面上课。她听得比里面的娃们要认真，虽然大多听不懂，可是她就是喜欢站在那儿听着。有时，她会捡一些别的孩子扔掉的作业本什么的，然后回到树荫下，用一根树枝，照着在地上写。

每年冬天的时候，猪娃都是最难过的时候。整个冬天，那些猪都是圈在各家的院子里，大地上冰封雪盖，再不用放了。她也同样整个冬天窝在房子里，想着那些猪。有了大把空闲的时间，她就继续在院子里，在雪上画那些字。虽然她不认识那些字，可是都会写。别的孩子都不和她玩，嫌她身上有猪味。邻居住的是老校长，他看这个孩子愿意写字，有时就教她，还给她课本。

在冬天里，更让猪娃难过的是，就是腊月里，家家杀年猪的时候。哪家杀猪，她都要去看看，那些猪她都极熟，想着它们就要被吃肉，便悲从中来，流下眼泪。那样的时刻，她也看到猪的大眼中水汪汪的，就相信，猪也在伤心它的命运。猪娃从不吃猪肉，而且极讨厌痛恨。有时她觉得是自己害了那些猪，如果不是给它们放养得那么肥，也许不会被杀吧。

一年年，猪娃渐渐地长大了，只是在人们的眼中，她似乎永远是那个不变的猪娃，和一群猪在一起。她给每一头猪都起了名字，没人的时候，叫得欢快，猪们仿佛也能听懂自己的名字。于是，她常常叫着它们的名字和它们说话，甚至有时候，她会抓起小猪的前脚，教它们在地上写字。

当猪娃记满了两个小本子的小猪名字后，她已经成长了水灵灵的大姑娘。本子里记的小猪，都是死在腊月里冰冷的屠刀下。她常常在夜里翻看那两个小本子，看每个名字，回想它们的每一个细节。

在一个腊月里，猪娃忽然就出嫁了，嫁到很远的一个村子。出嫁那天，邻村的那个小伙子吹吹打打来迎亲，猪娃一身盛装，走出小房时，围观的村人都惊得说不出话来，从没想到，这个在猪群里混迹的孩子，居然生得这么美，以前怎么就没注意呢？有的本村小伙子，心里也是懊悔不已。

猪娃没有上车，而是站在村中间，用力地吆喝了一声，于是，家家户户的猪都不安生起来，纷纷跑出圈，用力拱着院门。人们打开了院门，猪们跑出来，围绕在猪娃身前身后，亲昵地蹭着她。她也不怕脏了嫁衣，用手抚着每一只猪，轻轻地叫着它们的名字。在这个腊月里，还没到杀年猪的时候，她心里还好受些。

上车前，看着那些猪，猪娃落了一地的眼泪。车开出了很远，那些猪才回到自家的院子。它们不会知道，以后再不会有人叫它们的名字，带它们去野外觅食。

猪娃就这样嫁掉了。春天的时候，那些猪失去了目标般在村里乱窜，人们便会想起猪娃来。于是便想念起来，打听她的消息。可是相隔太远，什么也打听不到。

有一年夏天，猪娃回来了。她变化越发大了，再也看不到当年的影子。人们都有些认不出来，只是当她站在村中间，吆喝了一嗓子，才明白真的是猪娃回来了。只是，再没有猪跑出来围绕在她身边。她看见，那些猪在院子里，只是偶尔向这边看一眼，便继续去睡觉了。

人们终于知道，猪娃在那个村生活得很好，而且是小学里的教师，天天教一些可爱的孩子看书识字。只是人们惊讶，这个猪娃，是什么时候会认字的呢？对此，人们猜测不解，只有那个老校长微微地笑着。猪娃这次回来，就是来看老校长的。

小　北

○谷　凡

当明星一直是小北的梦想，她觉得自己就是为当明星而生的，因为认识的人都说她长得像个明星。小北相信这些人说的没有错，因为在她很小的时候，家里人带着她坐火车，车厢里的人都说她长相好，像个小明星。

小北开始对明星有了幻想，当明星有那么多人围着看，多有意思。再大些后，小北的学习，也是为着将来当明星而准备的。她读书，古典现代，全读，还背会了大量的唐诗宋词，嘴里经常会说在欧洲文学史上谁谁的地位如何如何。小北对同学说她要为将来做明星打好所有的基础，不管将来遇到什么样的角色，古代的还是现代的，只要让她演，她就要演活了。她口里绝对不能出现把肋骨读成肋（le）骨，把抹布读成抹（mo）布的错误。

小北爱关注报纸上刊登招聘演员的广告。第一次去应聘，小北就被看中了。尽管角色很小，但小北知道了什么叫拍电影，看到了那个有点名气的导演。小北真的觉得自己有做明星的条件，虽然她拍的电影一直没有公映，也没有再被叫去拍过什么戏，但她确实演过戏了。这让小北坚信将来的影坛是要靠她来支撑的。

同学里面有人嘲笑小北，也有人坚决支持她。支持她的同学叫李尧，是和小北在一个院子里长大的。李尧知道小北要当明星，一百个赞成。差不多每次去应聘，李尧都陪着小北。小北不再想着考这个艺校那个学院了，因为这个学院那个艺校，并不能把她培养成明星，而且学费贵得吓人，根本不是她这个一般家庭出身的女孩能负担的。小北就想走捷径，因为她相信自己就是未来的大明星。

小北对李尧说："等我将来成了大明星，你就是我的经纪人，到时候我们可以买好车，雇保镖，我们去最高档的地方吃饭，一次吃两辆小车钱。"小北说这些话的时候，觉得自己真的就成了明星，坐和站的姿势，都开始有了标准，因为笑和挥手的动作，已经对着镜子练好几百次了，每次她都问李尧到位没到位，尺度把握合适不合适。不过李尧看小北的时候，什么动作都是到位的，就是小北蹲下身子系鞋带，他也感觉小北在舞蹈，动作优美。

从东城到西城，只要有能让小北当明星的机会，李尧都会跟着跑，小北需要什么，他就提供什么。连小北自己都不记得他们做了多少次这样的事情了，但李尧一次也没有规劝过小北，让她放弃当明星的想法。

李尧对小北说，只要有他在，什么事情都不要担心。

有李尧做后盾，小北省心多了。有些招聘演员的消息，都是李尧帮她打听或从网上查出来的。李尧又听到一个有关招演员的消息，而且还是个大片，他告诉小北，这次一定能成功。他们提前准备，李尧答应小北三天不去学校上课，要帮助小北把所有应聘可能遇到的问题，提前排练出来，预演一次，以免小北到时候不知该怎样应付。

他们整整做了三天的准备工作。到了那天，小北和李尧信心百倍地去了。人很多，问题也很多，好在小北已经有了很多这样的经验，当小北把最后一关过了后，都忘了什么时间了，反正是天已经黑了。李尧把水和吃的东西送到她手上，小北说不想吃，只想睡觉，说着话就想往地上躺。

这里离学校很远，去酒店里休息倒是可以，但他们口袋里的钞票不答应。李尧就带着小北到公园里找到了一张长椅，这地方僻静，没多少人，他让小北躺在那里休息。

小北一觉睡了多久记不清了，醒来后她看到李尧身子弯成一个豆芽护着她。李尧怕小北不舒服，自己只占了长椅一点地方。小北笑了，很开心地笑了。她拉着李尧的胳膊，李尧醒了。小北坐起来说："我们回吧，不想当明星了。"李尧迷迷糊糊说："为什么？说不定就是这次了。"小北跳起来，故意把头歪得非常低，望着李尧的眼睛说："我有你，干吗还要去做明星！"

赚钱的鸡

〇丁　文

我家住一楼，楼前有个小小的园子。看着园子空落落的觉得怪可惜的，于是我打算养几盆花，既可养心性又可美化环境，可妻子是个实用主义者，她打算在墙角搭个小棚子，养几只鸡。我拗不过妻子，只得由了她。

鸡们在妻子的侍弄下长得很快。特别是那只公鸡，成年之后，每天天刚蒙蒙亮就要引吭高歌一曲。它的放歌时间正合我意，因为每天这个时候，我就得起床去晨练了。

一天，三楼的老王找到我妻子说，他妻子的身体不好，早几天去老家看了一位老中医，老中医给了一帖药方，说是要配以刚会打鸣的公鸡做药引。为了这只小公鸡，他去菜市场找了好多天，就是找不到。早几天突然想到我家的公鸡不是刚会打鸣吗，所以，他想请我们帮个忙。

邻里之间嘛，这点小事算啥！妻子是个热心肠的人，马上捉了鸡让老王带走。病要紧，鸡嘛，可以再养的。老王留下五十元钱，千恩万谢地走了。

妻子很高兴，养了一只公鸡，既做了好事又赚了钱。于是，她第二天又去买了两只鸡苗来。

想不到，这次妻子把两只公鸡养大了之后，不但三楼的老王来买鸡，二楼的李大伯也来买鸡了。妻子高兴得不得了，她拿着两张五十元的票子说，要是我们养一群鸡，不就发财了吗？几天后，妻子果然从老家带来了十多只鸡苗。

一天早晨，我出门锻炼。刚拉开门，便听得外面有人说话。那二楼李大伯在对人说，老丁他婆娘又弄来了一大群鸡苗，这下我们又有鸡肉吃了。这是什么意思？我隐隐觉得有点儿不对头。

锻炼回来，正好碰上三楼老王。我拉住他说，你向我家买鸡，是真的做药引吗？老王好像有点儿不好意思。在我的一再追问下，老王终于说出了原委：你家的鸡叫得太响了，我老伴儿有失眠症……

原来如此！估计二楼的李大伯也是。整幢楼，二十多户人家，肯定还有人想“买”我家的鸡。想到这里，我不禁羞愧万分。第二天，我就让妻子把鸡们全部送回了她娘家。当天晚上，我们提了礼品，敲开了二楼与三楼邻居的门……

从那以后，妻子再也没有养过鸡。

卖不出去的羊

○侯发山

真是怕处有鬼痒处有虱，老贵担心的事情终于发生了——女儿梅花考上了大学！

老贵阴沉着脸，不住地唉声叹气。去年，疾病缠身多年的父母一先一后过世，虽然简简单单地把丧事给办了，还是欠下了一屁股的债；老伴儿的哮喘病时常发作，手里略有宽余时就抓几服中药煎熬，不宽余时就躺在炕上干熬……好在二闺女荷花初中没毕业就辍学了，最小的儿子富贵在村小学读书，学校也给免了学杂费，但一家人的吃喝拉撒，指望老贵土里刨食去经营，难啊！老贵不是不巴望梅花考上大学，而是愁那几年的学费从哪儿倒腾。这不，通知书上红纸金字写着，第一学期的学费九千块，这还让人活不？

而梅花呢，明明清楚自家的罐里有几颗米，偏偏嚷嚷着非要上这个大学不可。老贵又气又急，却又不好说什么。

梅花说的有板有眼。她说，爹，咱家里穷，就更应该想法让我上这个大学，只有走出山村，咱家才有可能红火起来。

老贵张了张嘴却没说什么，心想这大学上下来，咋说也得几万块，只怕没等红火起来火就灭了。

荷花放羊回来了，见此情景，她快言快语地对老贵说：爹，俺姐几个晚上都没睡踏实，哭了好几回呢。梅花说要是不让她上大学，她就离家出走。

老贵的心不由得抽搐了一下，瞪了荷花一眼，说，傻闺女！他又看了一眼荷花牵回来的那只波尔山羊，狠了狠心，长叹一口气说，那好，明天我就到集上把这只波尔山羊卖了。

梅花和荷花同时惊叫了一声：爹！她们知道，家里仅有的这只波尔山羊是年初乡里扶贫时，村主任跑前跑后给争取来的，全家人的希望都寄托在这只羊身上了：娘的药费，爹的防寒帽子，弟弟的新书包……眼下这只波尔山羊已经怀上了羔，卖了实在可惜啊！

老贵有气无力地说：卖吧卖吧，凑一点儿是一点儿。

村子不大，老贵要卖羊的消息在短时间内传遍了每一个旮旯角落。

村主任先来了，问，老贵你真的要卖羊？

老贵不敢正视村主任的眼睛，说，我也是没办法呀。想当初，村主任把羊牵到他家时，反复交代他要喂好羊。村主任还半开玩笑地说要像侍候他爹那样侍候这只羊。老贵还感激地拍着胸脯保证说，村长你说错了，我一定像对待俺儿子那样对待羊！可是这当口儿，他老贵提出要卖羊，愧对村主任啊。

村主任摆了摆手，笑着说：老贵我今天不是来问罪的，我是来买羊的。

老贵愣愣地瞅着村主任，简直不敢相信自己的耳朵。

村主任说，啥都别说了，孩子上学要紧……给，这是八百块，贵贱就是这。说着话，村主任把钱塞到老贵怀里，不由分说就牵着那只波尔山羊走了。

老贵怀里揣着800块钱，高兴不起来，脸上还是布满了愁云，并不是羊价卖得低，因为梅花的学费是9000块，其余的去哪里折腾呢？亲戚朋友的旧债没还，咋好意思开口再去借？左邻右舍的家底也都一清二楚，日子好不到哪里去……他老贵能不愁？

想不到，到了下午，村主任又牵着那只波尔山羊回来了。老贵心里一惊，说村主任你不要羊了？

村主任点点头，继而诡秘一笑，说，现在羊是我的了，我有处理它的权力。

老贵疑惑不解，说那是那是。

村主任把羊拴到院子里的一棵树上，然后对刘老贵说我现在把羊送给你，你再卖一次吧。说着不等老贵他们回过神来就走出了院子。

荷花兴奋地抚摸着羊说：爹，咱就再卖一次。

梅花皱着眉头对老贵说，爹，这不合适吧？

老贵感慨地说，权当咱借村主任的，以后有能力再还吧。

这时候，隔壁的树林爷来了，他拿出600块钱交给老贵，说要买那只山羊。令老贵想不到的是，树林爷连羊也没牵就扭头走了。

老贵撵着树林爷的背影“哎哎”地叫着。

树林爷回过头来，咧嘴一笑说，老贵，我把羊又送给你了，你就再卖一次吧！

老贵停住脚步，眼里一下子汪出了泪。梅花，还有荷花，她们的眼睛不停地扑闪着，似乎明白了什么……

就这样，老贵的羊被村里的老少爷儿们“买”了三十多次，最后羊还在他家的院子里拴着，兴奋地“咩咩”叫着。

梅花如愿以偿地上了大学；在梅花的鼓动下，老贵也同意荷花上学了……自然，这是后话。

书法家刘德宏

〇鬼　子

这年月书法家多，走到哪里你都能碰上一两个，甚至好几个。但让人赏心悦目，让人抬了头而且往心里去的，总是不多。这种现象跟文学界一样，会写能写的人遍地都是，但有灵魂的文字却总是少而又少。我总是觉得，一个人能写几行好字并不难，难的是能在众多的作品中写出自己的风骨，并且傲立于世。

认识刘德宏的时间并不短，但他的字我却只见过一幅，而且是匆匆地过了一两眼，那是在网上，但记忆深刻异常。有天我乘坐出租车，从大街边的一家茶庄前经过，茶庄的名字“郑记本草堂”虽然一闪而过，但我却当即认定，那必定是刘德宏的笔墨，后来一问，果然。

我想这就叫做真正的书法家了，一个已经拥有了自己的书法家。

刘德宏的字很像刘德宏，不张扬，但又很有个性，是那种地道的字如其人。字当然是书法的字，我不太懂；但人，我知道说的是有关修养，有关造化，有关境界。没有这些，写出来的字就会永远只是字而已。字谁都会写。我也会，但我不懂书法，所以，我特别敬重真正意义上的书法家，他们的字不光写得好看，而且写得有味道，写得有内涵。

书法家的字是值钱的字，值钱就值钱在他们的字不仅仅只是字。刘德宏的字，就已经是这样的字了。他的字，听说已出手到两三千、三四千，甚至有五六千一幅的了，名声在外。有人为了求他的字，天远地远地总是先把钱给他寄来，然后等待着某一天能得到一幅两幅，然后收藏在屋里。

刘德宏的字能有今天，当然不是一天两天或者一年两年的事。有一年他带着一伙人搞一个书法活动，搞到最后因为经费紧张竟没了饭吃，他只好找到一位饭店的老板，让老板给他安排两桌，他说他可以给他两幅字。老板当时愣了半天没有答应，心里也许在想，我要你那两幅字干什么？你那两幅字摆在桌上能吃吗？后来有人不断地提醒说值得值得，老板才勉强摆了两桌。几年后那老板才发现，自己的两桌饭其实比刘德宏的字便宜多了，就是再请个十桌八桌也是值得的，于是让人捎话给刘德宏：何时再来？自然是想再拿几幅。他哪里知道，此时的刘德宏早就不是旧日的刘德宏了。

刘德宏的字，也不是说拿就拿的。作家东西几年前就求过他一幅字，一直也还在求，到现在都没有到手。东西说你不是会反悔的人吧？他说不会。他说我会在状态最好的时候给你写一幅的。这话说得让人舒服。我也相信好字不是每天都可以写出来的，否则就只是老师写在黑板上的那些字了。有这等自律是很难得的，这显然是需要进入一种境界才能有的，他让你仿佛看到了一个人，在一步一步地往峨眉山的金顶走去。他越走越高，越走越接近，而不是往下走，越走越低，最后掉在山脚的草地上。

刘德宏原先是学会计的，听说打算盘可以打得噼里啪啦地山响。我曾想，如果是在旧社会，如果你在东西家的庄园里看到他，会误以为他是东西家的账房先生。可他后来竟然进了报社，当了记者，当了编辑，听说还曾暗地里爱好过文学，专门研究过东西，研究过毕飞宇，还研究过贾平凹，不知道是否也研究过鬼子，最后是发现文学的院子太深，树也太杂，路也太烂，能看到阳光的机会太少，东张西望了一番之后，便把文学的门堵了起来，然后埋头练起了书法。没想到他竟然成功了，真不知道这是上天的怜悯还是他自身努力的结果，也许是兼而有之吧。

刘德宏长得有点过于精瘦，尤其是脸，我曾好心地建议他在下巴那里种几根像样的胡子，好让自己更书法家一些。听说他也用心地试了，但没有等我看到是何等的模样，他就自己关门一根一根地拔掉了。说是难看。他的下巴如今依旧是白净净的，除了脸上那副廉价的眼镜，怎么看都看不出他的身上哪一点像个书法家的样子。整个夏天，也老穿着一种工装似的衬衫，看上去总让人怀疑是从河内那边过来探亲的。

可他自己说这不重要。

他说重要的是他的字。

这自然又是一种境界。

那就愿他的字一路走好。

龙女怨

○陈柳金

林小雨十三岁了，快到花季雨季。生日那天，没有人送花给她，倒是上天送来了一场绵绵洒洒的春雨。这是宿命，还是诅咒?

林小雨的名字，与一场雨有关。她出生那天，白天还是暖阳如照，母亲脱下名贵的皮草，在院子里踱着三寸金莲，手轻轻地在大肚囊上摩挲，嘴里哼着她爱唱的黄梅戏《龙女》：出龙宫采鲜果为父王祝寿，人间景诱我心趁机遨游。却为何不见景色秀，一抹衰黄染田畴……

薄暮时分，母亲再踱出院子时，绣花针一样的雨就飘了下来。母亲还没来得及加衣，肚子就隐隐作痛了，开始是痛一阵，缓一阵，之后痛的频率越来越密。男人电话里说马上回来，等来的却是他的司机，说突然来了一个大客户，老板谈完事就赶来。

男人赶到医院时，母亲轻抚着刚出生的女儿说，这可是龙女啊，我唱了《龙女》后，雨就下了，雨一下，我的肚子就疼了。男人看着窗外纷纷扬扬的春雨，喜道，春雨润如酥，我们就叫她小雨吧。

取这个名字，父亲是有他的用意的。小雨是他的吉星，她出生前来的那个大客户，已跟他签下了一千万的订单。自己的生意正是夜雨润花之时!

小雨什么都好，就是泪水像雨水一样多。俗话说，春生女，爱哭鼻，真是一点不假。为了逗女儿，父亲买回很多玩具，用母亲的话说，小雨的玩具囊括了海陆空三军、春夏秋冬四季、金木水火土五行，但小雨最喜欢的却是那个纸做的小风车。

小雨一哭，母亲就把她抱到阳台上看风车转，有时没起风，母亲就用嘴轻轻吹，小风车一转动，好听的歌儿就从母亲嘴里飘出来：大风车吱呀吱哟哟地转，这里的风景呀真好看，天好看，地好看，还有一群快乐的小伙伴……小雨的哭声立马就止住了。

在她生命中的第二场春雨来临之前，小雨成天都是浸泡在蜜糖中的小龙女。

2008 年，也就是在她十一岁生日那天，也凑巧地下起了雨，开始温柔得像棉絮，忽然就打起了闷雷，刮起了狂风，春雨摇身变成了夏雨，箭一样反常地欲射穿地面。小雨第一时间就想到了小风车，她跑到阳台，可惜已经迟了，风车遭了雨箭的蹂躏，杆子已折，风轮脱落。

这让小雨伤透了心。从出生开始，阳台上的小风车就成了她的“娃哈哈”，风轮一转，她的樱桃小嘴就笑开了。嗷嗷待哺时，嘤嘤哭泣时，牙牙学语时，摇摇学步时，母亲抱着她看风车，她就会得到一种神的力量，她就能轻易地跨过成长的每一道坎儿，一直出落成现在这个水灵灵的小雨。

上了学后，父亲说，都长这么大了，还玩小风车！她告诉父亲，她在书上看到：东南方为旺财位，宜摆放风车、水晶球催财。我们家阳台正好是东南方，挂风车能给爸爸带来财运哩！父亲听了，自然很受用。

现在风车被雨淋坏了，小雨急得直跺脚，她想去找妈妈，但从房间传来那首熟悉的《龙女》：云洲风物已非旧，枯叶干果悬枝头。忽听鼓乐迎风奏，铿锵声中含哀愁……

小雨就去拨爸爸的手机，但很奇怪，这次竟然没接，吃晚饭也不见回来。妈妈也急了，打了十几次电话都不接，直到深夜十二点，爸爸才一脸疲惫地走进家门，气急败坏地说，工厂倒闭了，得赶紧卖掉别墅发工人工资。

等母亲反应过来后，啜泣着说，你傻不傻啊，房子卖了住哪儿？现在有多少老板不给工人发工资！

父亲一咬牙说，咱不做昧心事，卖，明天就卖！

小雨一家就这样搬离了别墅，在一偏僻处租住了阴暗的房子。后来小雨才明白，是突如其来的金融风暴袭击了父亲的工厂，为了筹集工人工资，父亲不仅卖了别墅，还欠下了高利贷的借款。

转眼就到了小雨的十三岁生日，这天也奇巧地下起了绵绵春雨。她望着天空发呆，小雨，林小雨，天街小雨润如酥，草色遥看近却无，有谁会记得你的生日！

爸爸常年在遥远的城市跑保险业务，一年到头才回一两趟家；妈妈自从爸爸的工厂倒闭后，人就变得沉默寡言……

这时，房门敲响了，林小雨吗，你的快递！小雨接过纸盒，是小风车！还有一封短信：小雨，这些年让你和妈受累了，爸在外挺好的，等还了那些债，爸还给你们买别墅！今天你生日，爸送一个你最爱的小风车，风轮常转，它会给我们带来好运的，只要我们心里有春风！

小雨眼睛湿润了，她把风车挂到东南方的窗台上，风轮就呼呼转了起来。这时，母亲房里悲悲凄凄地响起了那首黄梅戏：出龙宫采鲜果为父王祝寿，人间景诱我心趁机遨游。却为何不见景色秀，一抹衰黄染田畴……

下　乡

○成　子

两年前，我下岗了，快40岁的人了，咋办？学开车。驾照考取，便借钱、贷款，买了辆小“夏利”，开起了出租车。说真的，开出租车真辛苦，没黑夜没白天，风里来雨里去，酷暑严寒全不顾，酸甜苦辣都得尝。话又说回来，苦是苦，当每月一结账，两千多元辛苦钱到手的时候，心里也挺高兴。本来下岗时，对单位那大腹便便的头头儿恨得咬牙切齿，但在这市场经济的海洋里一折腾，倒也把这老家伙给淡忘了。

一个星期日，一大早，当空车行到市直机关宿舍区大门口时，有一位五十多岁、大腹便便、干部模样的人招呼我停车。本来，我看见这种“大油肚”心里就不舒服，车停下，再仔细一瞧，他肥胖的身躯上安了一个秃顶脑袋，红脸盘上托着一个酒糟鼻，活脱脱一副我原单位那个头头儿的模样。想归想，挣钱嘛，他叫车，咱就拉，不顺眼就少搭讪几句。

“师傅，我还带点儿东西。”他指指放在路边地上几个写着“营养品”字样的纸箱子，“要到郊区三十多公里外的一个小山村，车钱嘛，按你们的规矩付，咋样？”

我一听，这当官的肯定是受贿的东西用不完，要往老家送，像我们这些出苦力的不敲他敲谁？我说：“按说30公里最多收你60元钱。但你说是个小山村，肯定有的路段不好走，既费油又伤车，多了不说，给100元吧。”

“能不能少点儿？”他被公家的酒肉撑得肚子那么大，竟还要与我们这些小小老百姓讨价还价。

“不行，少一分也不去。”我坚决地说。

“那好吧。”他把三个不大不小的箱子放在后座儿上，就坐到了前排。车开了，很快也就出了市区。

本来不愿意与其搭讪，可我这小市民的心理却抑制不住想探个究竟的意愿：“是回老家吧？”

“算是吧。”

“怎么叫‘算是’？”

“老家早就没人了，是去看个朋友，也是年轻当兵时的老战友，来往多了，也就把他家当成我小时候的老家了。”

“你们当官的不是都配有公车吗？怎么还打的回家？”

“办私事哪能用公车呢？”

哼，觉悟还挺高的。看你带的东西，就不是普通百姓买得起、用得起的。忽悠谁呢？表面文章，我见得多了。

话不投机，自然我也与其无话了，就只管按他说的路线，静心开车吧。

半个小时后，车下了干线公路，进入山区，便绕行在山间窄窄的沙石路上，又颠簸了二十多分钟，来到一个小山坡下。

胖干部示意我停下，并下了车，说：“到了。”

出于好奇，我也下了车。仰首一望，再沿着一条羊肠小道上行50米左右，有三间石头房和一间草棚子，平整的小院内有几堆柴草和几件农具。一位老汉听见车响，就领着一个几岁的小男孩迎了下来。

“哎呀，老张啊，怎么又来了？我不是让在城里打工的儿子告诉你，这个月不要来了吗？”

“口信儿，你儿子是捎到了，但我还必须要来。你忘记今天是啥日子了?”

“啥日子?”

“22 年前的今天，在深山老林里，我炸掉敌人一个火力点后，不是头上裹着绷带的你介绍我入党的吗?你忘了可以，我要是忘了，可就不中了。”

“看你这家伙说的，快进屋吧。咱弟兄俩好好聊聊。”

“走，小兄弟，一块儿到家喝口水吧。”胖干部也把我当成自家人，亲热地招呼我。

我稍一愣神，说:“你啥时候回去?”

“下午三四点钟吧，十来里山路，我走走，到大公路上就有进城的公交车了，你先回去吧。”说着就掏出一张百元的票子递给我。

我摆摆手就上车了:“不要了。老同志，你们好好聊吧，下午六点钟我再来接你——你放心，免费。”我已跑出好远，倒车镜内，仍看见两位老英雄向我挥手致意，心里那个舒坦啊，比一天挣上几百块都惬意。

红樱桃

○李永康

汽车刚刚从山顶盘旋着绕到山脚，一座小城便出现在眼前：依山傍水而建的高楼在夕阳的映照下，错落有致，像一幅油画。

朋友说："这还不是我们此行的目的地，我们只是从它的身边路过。"

陡升的兴奋点又降到最低，我微眯着眼，靠在椅背上。

"买樱桃！买樱桃！"

一阵清脆的叫卖声将我的视线吸引到路边几位衣着朴素、精明干练的年轻妇女身上。隔着车窗，我看见她们两只手各提一小筐垒得尖尖的、盖着几片翠绿色的叶子、红得透亮的樱桃，朝似停未停的车子奔来。

"买樱桃！买樱桃！三元一筐，五元两筐。"

她们的身后还跟着她们的孩子。小姑娘双手捧着筐举在胸前，很费力的样子；小男孩儿则一只手提一筐，脸涨得通红。

孩子们也跟着喊："买樱桃，买樱桃！"

声音尖尖的、嫩嫩的，不但脆，而且还甜。

朋友将车靠边停下。十多筐樱桃举到面前，一样的红，一样的鲜，一样的让人喜欢。

儿子要了一筐小女孩儿的，妻子要了一筐小男孩儿的。一家人买了两户人家的樱桃，却只收两筐合卖的钱。小女孩儿捏着钱兴奋地朝大人跑去，小男孩儿一蹦一跳地在后面跟着。

车又启动了。

我要朋友吃樱桃，朋友拣了两颗丢进嘴里，边吃边说：“今年雨水好，刚到‘五一’劳动节樱桃就大量上市了。”

儿子说：“比妈妈在市场里买的好吃多了。”妻子没吭声，吃得有滋有味。

“这就是低海拔高原樱桃的特点：个儿大、皮亮、味纯。”朋友有点陶醉地说：“前面将要路过的樱桃沟，沿路都是樱桃树，你还可以提着筐站在树下，边摘边尝。”

“哎呀，你们看，这颗樱桃好奇怪！”儿子突然惊呼起来。

我接过仔细一瞧，原来是一颗红玛瑙做成的仿樱桃饰品。

妻子也惊叹：“太漂亮了！”

朋友说：“这一定是哪位摘樱桃的姑娘不小心弄丢在筐里的，应该是一对儿，再找找，看看筐里还有没有？”

“丢失一只已经够人家姑娘伤心的了。”我说。

儿子红着脸恳求道：“叔叔，你把车开回去，我们把‘红樱桃’送还人家好不好？”

回到我们刚才买樱桃的地方，车还未停稳，又围上来一群卖樱桃的。“买樱桃！买樱桃！”声音甜甜的、脆脆的。

我仔细辨认着：哪两个才是先前卖樱桃给我们的小孩儿呢？

儿子大概也没有认出，干脆举着“红樱桃”站在路边怯怯地叫道：“谁家丢了红樱桃？”

一瞬间，七八个男孩儿女孩儿像商量过一样，放下樱桃一起围上来，嘻嘻哈哈地笑着嚷道：“抛上去、抛上去。”有的抓我儿子的胳膊，有的抱他的大腿。儿子挣扎着问：“你们这是干啥？”

我多次到过少数民族地区，知道这是他们对初来乍到的特殊外地人表示友谊的礼节，不由得也开心地哈哈大笑起来。

“一、二、三!”他们齐喊着。

儿子被他们抛到空中，接住，又被抛到空中。有人在边上呐喊助兴：“抛得越高，情谊越深，抛上去！抛上去!”接连抛了三次，他们才将儿子放下。

这时候，有位年过花甲的老人来到我面前鞠了一躬道：“尊贵的远方客人，请留下来参加我们樱桃沟举办的樱桃节篝火晚会。”

我被弄糊涂了。

老人说：“我们今天篝火晚会的特邀嘉宾都是采用这种特别的方式邀请的。谁吃到我们的玛瑙樱桃，谁就是我们的贵宾。”

儿子见我犹豫，上来拉着我的手嚷道：“答应老爷爷，留下吧!”

朋友也说：“我的目的也是拉你们一家人到少数民族地区来走一走，感受感受。”

妻子点点头也示意留下，我还能说什么呢?

这个“五一”长假，我们过得格外舒心——都是因为樱桃!

啊，红樱桃，红樱桃!

烧　炉

〇聂鑫森

华灯初上时，他对老伴儿说："今夜该生火烧炉了。"

老伴儿一笑："儿子来电话，他想赶回来现场参师，学学你的绝招。"

"那局长还有炉子吗？儿子是搞城市规划的，学这个干什么？"

"你没听儿子说局长就爱玩铜炉吗？你叫洪声远，名声远播，儿子就不能教一教？"

他的脸蓦地拉长了。

洪声远，字霜钟，名和字都是父亲取的。六十五年前，他在一个深秋子夜呱呱坠地，离这条小巷很远的"黄叶寺"，正好响起了钟声。熟谙唐诗的父亲，便从《枫桥夜泊》中的"夜半钟声到客船"，找到了灵感。

洪声远在大学读的是考古系，毕业后便分配到本市的博物馆工作。因对历代瓷器研究甚深，同时对明、清以来的各种铜炉独具慧眼，撰文多有创见，在五十岁时已是研究员了。他五年前退休归隐，除了职称之外，此生未领受过任何官衔，是名副其实的一介布衣。

博物馆的同事，都说他除研究瓷器颇有见地外，鉴别、养护铜炉亦高人一筹。

特别是烧炉的绝活儿，为世所重。

所谓铜炉，指的是专供焚香、烘手的小巧器具，前者谓之香炉，后者谓之手炉。铜炉虽有款识却无铭文，形制和花纹都较为简单，但历代藏炉家青睐的是铜炉简练的造型和幽雅的铜色，尤以不着纤尘，润泽如处女的肌肤，精光内含，静而不嚣为贵。若如此，必长期添炭培灰，徐徐火养而成。铜色在火养的过程中，愈久愈好看。这是明、清文人的一份雅趣，几人能享？

洪声远对铜炉情有独钟，博物馆就收藏不少。他在职时，决不允许在色泽包浆颇佳的铜炉上，用化学糨糊去粘贴标签。标签无论将来揭与不揭，“肌肤”上已落下一个“疤瘌”，即便以温火养护，八年十年亦难去其痕迹。他说：“在铜炉上贴标签，与煮鹤焚琴何异？”

对于刚出土或收购来的铜炉，污锈遍体，黯然无色，徐徐火养毕竟时间太长，洪声远敢于以猛火快速烧成。此法在清人吴融的《烧炉新语》中提及，又经他多年实践，颇有心得。

可惜儿子干的不是这一行。

儿子三十四岁了，是1976年的三伏天生的。天气热于炉火，他又喜欢铜炉，本想给儿子命名为“洪炉”，并取字为“畏炎”，含有莫“趋炎”之意。老伴儿是个中学语文教师，说这个“炉”字太扎眼，就叫“洪伏”吧，“伏”与“福”谐音哩。

洪声远的父亲早辞世了；儿子大学毕业到了城建局，接着是结婚、生子，眼下是该局设计科的副科长。儿子常抱怨，不知这“妇副科病”何时能治愈。他就不明白，儿子是有专业的人，可以在学问上长进，干吗老想着当官这件事。

八点钟了。儿子又来了电话，说他和局长刚在酒楼吃完晚饭，是陪省局来的几个客人。还得去茶楼喝茶谈工作，今晚他就不回家了，谢谢老爸的辛苦。

洪声远冷冷一笑：“我的儿子成‘三陪’了。喝酒、喝茶全成了谈工作的借口，可悲可叹！”

老伴儿说：“还不是为了混个正科。老洪，你去烧炉吧，儿子的事比天还大啊。”

“我是‘不求闻达于诸侯’，却逃不脱‘为儿孙做马牛’的蠢命!”

杂物间里，洪声远指挥老伴儿烧起一盆旺旺的木炭火。节令还是初秋，屋子里的温度猛地升高了。

他把外衣脱掉，只剩下一件衬衫，再把袖口捋起来，然后对老伴儿说：“你有病，去客厅看电视吧。”

老伴儿问：“你受得了吗?”

“放心，我还不算老。”

待老伴儿走后，他把门带上，从一个小木盆里，捞起先煮后浸泡的铜炉，借着明亮的灯光细看。这是一只明代的手炉，是冬天用来烘手的，小巧得可纳于袖中，故又称袖炉。好玩意儿啊，作花盆状，凸雕的菊花菊叶满满地覆盖在铜盖上，端着它如同端着一盆菊花。炉身上刻着扁鹊、华佗、李时珍、张仲景等医界先贤的形象。款识是“杏林之家”。看得出，它曾是一个中医世家的传物。

早几天儿子拿来时，铜炉遍体是污垢和绿得发黑的锈迹，哑暗无光。

洪声远一看，就知道它的年限和质地。

“哪里来的?”

“是一个房地产老板主动转让给局长的，花了大价钱，两千元!”

洪声远差点跳了起来。这东西值个五万以上!

“爸，局长得到这个铜炉，突然有了收藏这类玩意儿的兴趣。他请教过一些专家，明白了铜炉之美在于铜色，要有好铜色必须烧炉，烧炉能速成者便是爸爸。局长给了我这个效力的机会，我得珍惜。”

他本想呵斥儿子一顿，但还是忍住了。假如铜炉来得正道，为了这一件文物的存世，他何乐而不为。可两千元能买到这样的好东西吗?何况是一个房地产老板让给城建局局长的!

但他还是答应了儿子的请求。

先是用铁锅盛上杏干水，在灶火上把铜炉煮了一天一夜，取出后再在冷了的杏干水中浸泡十来个小时。现在，污垢没有了，外面的一层锈壳也没有了，但还没有显出铜的原色，下一步就是烧炉了。

他用绒布，把铜炉里里外外擦得干干净净，小心地放在这盆木炭火前的石板地上。随即，用火钳往火盆里添上几块结实的木炭，再用扇子轻轻地扇火。火星爆裂作响，金红的火苗呼呼直冒，黑色的木炭立刻烧得透亮。

洪声远的脸和裸着的手臂，抹上了一层金红的光彩，酷似古铜所铸。他用火钳急速地夹出透亮的木炭，一层一层架在铜炉中，再盖上铜盖铜盖上有密密麻麻的气孔。他在脸上抹了把汗，随手一甩，有的汗珠子落到铜盖上，嘶嘶直冒白汽。

老伴儿忽推开门进来，问："老洪，关门做什么？你不是烧炉，是炼人！"

"你不懂。炉里炉外都有温度要求。你快离开，带上门！"

铜炉里火势弱了，再换上烧红的木炭。什么体量的炉，炉壁厚度各异，一次烧多久，添多少炭，每个时段都有不同的讲究。有的炉可以一夜烧成功，变得锃光古雅；有的一夜未果，第二天再煮再泡再烧，方渐入佳境；有的呢，怎么烧也烧不出来，谓之"哑炉"、"死铜"，藏家就只有忍痛割爱了。但在洪声远的手上，从没有出现过这种现象。

洪声远烧了一夜的炉，老伴儿在客厅看了一夜的电视。

天亮了。脏兮兮、汗涔涔的洪声远走出了杂屋，进了客厅。

老伴问："成了？"

"没成！再煮再泡再烧，如果是'哑炉'、'死铜'，那是我运气不好。"

…………

一眨眼半个月过去了。

洪声远和儿子谈了一次话，告诉他这铜炉没法烧成，对于局长来说，只有两种选择，一是花个十年八载的功夫，日夜温火蓄养，还得巾围帕裹，不停地用手摩挲炉体，或许会重焕光彩；二是赶快退回原主——这玩意……不是好东西!

儿子的头耷拉下来，他不明白久负盛名的烧炉大师，手下怎么会出现“哑炉”、“死铜”……

英　雄

〇刘正权

女人把电视机打开，插上VCD电源，放进一张碟片，铺天盖地的洪水就在画面上汹涌澎湃了，一条条冲锋舟上，一段段堤坝上，中国人民解放军抗洪抢险部队在风雨中来回奔跑着。

这其中，有她男人的身影，她肯定。男人是解放军某部舟桥旅的连长，男人的梦想是上战场，成为一名英雄。将相本无种，男儿当自强！男人是在新婚第七天接到部队电报的，要求火速赶回部队接受任务。那一年，女人记得很清楚，是1998年。

1998年的洪水让男人成了英雄。那一年成为英雄的战士很多，但成为英雄遗孀的不多，给英雄留下遗腹子的就更是凤毛麟角了。

女人把儿子叫到电视画面前，再一次发问，乖，告诉妈妈，长大了当什么？儿子抬起头，冲电视画面呆呆出神，不说话，眼泪长长地流过嘴唇。不知怎的，儿子看见洪水的画面就泪如雨下。

这回，女人没哭。要不是当初哭得太多，影响了胎儿的发育，儿子也不至于十多岁了还不会说话。请专家看过了，声带绝对没问题，孩子有可能得的是自闭症。

自打男人去世后，女人整整与外面隔绝了三年。不隔绝，娘家人会绑了她上医院拿掉孩子的。孩子长得像男人，嘴角一抿的样子尤其像。

女人又叹了口气，明天，“八一”了呢！丈夫的节日。女人决定带儿子去看他爷爷。

“八一”这天，天气晴好，女人和儿子坐上了开往乡下的班车。乡下的机耕路颠簸得厉害，儿子却很兴奋，“哇哇”地尖叫着。车在村口停下来，女人牵了儿子走上了通向爷爷家的道路。乡下的一切令儿子感到好奇，儿子一把挣脱女人，蹦蹦跳跳跑在前面撒起了欢。因为想着心事，女人的脚步就慢了许多。等她的目光再次捕捉到儿子时，儿子已和一个十来岁的乡村小女孩并排走在一起了！

女孩一身的大红衣服和儿子一身的金黄运动服相映在天空下，真有那么点金童玉女的意思呢。女人看直了眼，只顾微笑，却一点也没发现一场意外正凶猛地逼近。

两头犍牛斗红了眼，落败的一方撒着蹄子冲儿子和小女孩跑过来，后面一头还在穷追不舍。小女孩的一身红衣服更加激发了牛身上残存的野性，鼻子喷着热气的犍牛摇晃着一对尖角气势汹汹奔了过来。小女孩被这情景吓呆了，腿一软，人就抱着头蹲在了地上。

呼救是来不及了，女人绝望地闭上眼，还顺手捂住耳朵……

犍牛的踢踏声忽然消失了，所有的声音在一瞬间都消失了。良久，女人睁开眼从指缝望出去，儿子正张开手臂护在女孩前面。两头牛呢，不知所措地瞪着眼前这个乳臭未干的小男人——这是怎样惊心动魄的场景啊！

村里的大人们纷纷跑过来，牵开了两头犍牛。儿子从人缝中看见母亲，“哇”的一声哭了！

女人一把抱住儿子，拍着他的头安慰说，乖不怕，我娃是英雄呢，英雄什么也不怕的！儿子忽然开了口，说出三个字：“妈，我怕！”

麦　香

〇贺敬涛

麦子说黄就黄了。

蚕老一时，麦熟一晌。几个大晴天，麦田已是一片金黄。

麦香昨天刚从外打工回来，这几年，村子里的青壮年都出去打工了，留下的都是些老人孩子。

前几年，麦收季节，大部分出外打工的男男女女总要回来几天。可这两年，随着出外打工人员务工收入的逐渐增加，专门回来割麦的农民工越来越少了。

麦香是必须要回来的。因为爹娘都已年迈，家里的麦子没人收割。大哥大嫂在东莞一家电子厂打工，大哥电话中对麦香说："不就几亩麦吗，麦又那么便宜。找台收割机，收收就妥了，俺不回去。"大哥这话是不敢给爹说的，爹把地看得很重。

麦香回来还有一个原因，就是和麦根的事，麦香不愿再看到他。

麦根和麦香同一个村子长大，一个村东头，一个村西头，还是同学，初中毕业后，定了亲。年初，两人相约去温州一家玩具厂打工。

你说，这城市是个什么地方啊，五彩缤纷、光怪陆离！不到半年，麦根就和工厂附近一个叫米米的女孩子好上了。麦香见过那丫头，瘦瘦小小，下身穿得很短，很时尚。麦香不明白，去城市打工前，麦香和麦根可是定了亲、换过礼的，人咋说变就变了哩！

麦香回村收麦时，麦根来送。麦根在麦香身后站了好半天，说："俺回不去，俺爹娘身体不好，收麦时，你帮俺家一块收了吧。回来时，俺……俺请客!"麦根变了，发型很时髦，还喷了喱水。

麦香看也不看麦根："放心。俺家收麦，就不会把你家落下。请客，就省了吧!"

麦香头也不回地上了火车，可坐下后，还是忍不住向窗外看了，麦根的身影正嗖嗖地往后退，变得越来越模糊。

麦香回到家已是傍晚，陪爹娘说了半宿的话。第二天起床到麦田里一看，呀，一夜之间，麦子已熟透了。麦香真着急了，骑上车子，直奔镇上。

镇上沿街一溜边停了十多台收割机，每台收割机前都围满了各村的留守老人，都在急切地嚷嚷："师傅，先上俺那儿去吧，家里好几亩地呢!孩子都不在家，麦都焦了。""去俺那儿吧，价钱好说。"

麦香站在那儿，想挤进去，可谈何容易。这时，一个坐在收割机上年龄和麦香差不多的收割机手喊："哎，你……你也是叫收割机的吗?"麦香看看左右，年轻收割机手是在喊她。

收割机跟着麦香开到村子麦地里的时候，村子的人都迎出来了。

收割机手虽然年轻，干活儿却细致利索，收割机开得轻盈谨慎，先是麦香家的、麦香大哥家的，然后是麦根家的……金黄金黄的麦子哗哗地从手指间滑过，麦根的爹娘心里乐开了花。

临了，年轻收割机手下了车，用手抓了一把麦田的土，紧紧地攥着："多好的地呀!"麦香的目光柔柔地落在那只攥着土的手上。

按照约定，年轻收割机手当晚到麦香家吃饭。坐下吃饭时，麦香不说话，年轻收割机手也不说话，麦香娘却不停地问这个英俊的后生，特别问了后生手腕上的伤疤是咋弄的。

年轻收割机手今年21岁，家是山东济南农村的，原来也在城市打工，可和他一起好了三年的女友，竟心甘情愿地做了当地一家工厂老板的情人。那天，年轻后生喝多了酒，竟割了自己的手腕。后来，后生加入了农机跨区作业队，当了一名跨区作业的“麦客”，出来赶麦收。

麦香心里隐隐有些痛。收割机手走时，麦香出来送。收割机轰轰发动了，却不走，收割机手伸出头：“麦香，常联系啊！你的手机号俺可是记下了。一切都会好起来的！”说完，后生甜甜地笑了，还挥挥手。

麦香也笑了。

收割机割过的麦田格外空旷，一阵风吹过，远远近近都是麦香的味道，很让人沉醉。

女人的狡黠

○刘　玲

女人都希望自己漂亮，都在设法让自己漂亮，在追求漂亮的过程中，有时候还包含了心里的一点点狡黠。

不止一个人问我：你怎么不穿高跟鞋？穿高跟鞋吧，这样身材会高一些。第一次听到这话，我就很自然地说：我不喜欢。以后，这样的谎言竟成了习惯。

其实，我每双鞋都是高跟，鞋子通常不是时尚款，因而那样的高隐藏得很到位，再加上我总是休闲的衣服，性格又外向，连我最亲近的同事都认为我并不在乎高不高，只在乎舒不舒服，我不穿高跟鞋。

有一次，单位搞活动要求统一着装，采购的领导给我们买了平底的条纹布鞋，我几乎是气急败坏地找到她，扬言这样的鞋子的话，我就不上场了。她一脸惊诧：你不是从来不穿高跟鞋吗？

我的一个朋友，很漂亮，她放在空间里的照片，连我这样看着她长大的同性都忍不住常去看，啧啧咂舌：太漂亮了！如同别人认定我不穿高跟鞋一样，我认定这样的漂亮真实存在，在空间里交流的时候，我对她赞叹：岁月的刀斧到你的脸上钝了锋芒。她给我一个羞涩的表情。

春节，我们一起出游，之后到她家里拷照片，我想把她放在我的空间让我的博友看，看看我的朋友多顶眼的漂亮。拿着U盘下楼的时候，她急急地追出来，挽着我的手：其实，像我们这样的老脸吧，往外放的时候，需要修饰。你会用可牛影像吗？里边有“一键磨皮”功能，我的照片发布前都用这个……

原来，面对赞美的语言，她也选择了顺水推舟的默认。

对于漂亮，女人真是有着永恒的渴望，心里想让你认为，我是真的很漂亮。

硬币花

〇周海亮

那几年，女人过得很苦。丈夫在某一天夜里丢下她和刚上初中的女儿小玲，突然撒手而去。偏偏女人那时候下了岗，家里失去唯一的经济来源，生活仿佛一下子走到了尽头。

正是这时候，男人拉了她一把。

男人和她有过一段荡气回肠的恋情。当然只是曾经，生活并没有让两个人最终走到一起。有时在街上邂逅，男人会向女人微笑着点点头，偶尔也会停下来，拉几句家常，但仅此而已。人生就是这样，过去的，就过去了。

男人经营着一个很小的服装厂。工厂效益虽然并不理想，可他认为，从厂里挤出一点事给女人做，应该并不太难。可是让女人做什么呢？她不会蹬万能机，不会裁剪，不会数据统计，甚至提不起沉重的电熨斗。并且以女人那样单薄的身体，能经受得住那么辛苦的车间劳动吗？愁眉不展的男人想了好几天，终于有了办法。他想起女人曾经为他钩过一副很漂亮的手套，这说明，女人会使用钩针。为什么不让她为工厂钩些“硬币花”呢？

“硬币花”是一种用细毛线钩成的五个花瓣的小花，二分硬币一般大小，缝在出口毛衣的袖口和胸前。作为一种服装辅料，“硬币花”用量很大。他的工厂一直需要这种“硬币花”，以前，他总是把这些钩“硬币花”

的活儿分给附近郊区的农妇，这样不仅保证了工厂编制的精简，还使得那些郊区农妇在农闲时有一点额外的收入。钩“硬币花”并不太难，半天就可以学会，手头快的农妇，一天就可以钩出200朵。他为每朵“硬币花”支付一毛钱。对她们来说，这也算一笔可观的收入了。

他把这想法跟女人说了，女人当然很高兴，生活再一次看到了希望，她的女儿，还可以继续读书。从此，每个月固定的一天，女人都会来到他的工厂，送来钩好的“硬币花”，领走工钱和下个月需用的毛线。那天他会准时坐在办公室里和女人一起数着一朵一朵的“硬币花”，那些五颜六色的小花在他的办公桌上开放，他似乎闻到它们的芬芳。

女人钩花的速度越来越快，加上起早贪黑，每个月，她都会有一笔可以勉强将生活维持下去的收入。用这些钱，她的女儿读完了初中和高中，考上了理想的大学。因为女儿，因为“硬币花”，女人虽然很累，却很开心。

第二年，男人不再让附近郊区的农妇们为他加工“硬币花”了，他说现在这种毛衣出口量减少了，“硬币花”用量不大，女人一个人来钩就已经足够。他的做法当然招来一些风言风语，有些话，甚至说得很刻薄、很难听。可是他不管，每个月的那一天，他照例都会等在办公室，和女人一起趴在桌子上数着一朵一朵绚烂的“硬币花”。

后来，他把每朵“硬币花”的手工费涨到了两毛钱。女人说一毛钱就挺好了。他说不，现在全国都是两毛钱的价格，怎好给你算那么低的价钱？看男人决定了，女人没再推辞。其实女人那时真的需要更多的钱。女儿读大学了，生活压力变得更大。每个“硬币花”从一毛钱变成两毛钱，这等于说，女人每个月的收入会增加一倍。女人想，等她学贸易的女儿大学毕业，一切都会变得好起来。到那时，她和女儿，一定要好好谢谢男人。

女人每天钩着五颜六色的“硬币花”，一晃就是十年。那天女人最后一次去男人的工厂。当然是和她大学毕业的女儿一起去的。她说感谢你这么多年给予我的帮助。如果没有你和“硬币花”，我和小玲，可能熬不到现在。现在我要和女儿去另外一个城市——她在那里，有了一份很好的工作。男人说你不用感谢我，其实我也没帮上什么忙。钱是你自己挣的，又不是我的施舍。那天他们坐在一个小饭馆吃了一顿饭，那也是男人最后一次见到女人。

几年以后，男人的工厂突然遭遇到前所未有的困境。成衣开始积压，资金周转困难。由于没钱购买生产所需的布料，他的工厂处于半停产状态。面对眼前的窘迫，男人一筹莫展。男人甚至想，他和他的工厂，可能熬不过这道难关。

可是突然有一天，一切峰回路转。那天工厂里来了一位年轻人，他自称是某个公司的业务员，要在几天之内采购到大量的“硬币花”。他说他跑了很多服装厂，都没有找到他所需要的“硬币花”，如果贵工厂有现货的话，他们公司愿意出很高的价钱购买。

男人说，有。

男人带他去仓库，然后打开角落里一个巨大的木柜。木柜里塞满了很多叠放整齐的布包，男人取出其中一个布包，打开，布包里，竟然全是五颜六色的“硬币花”！年轻人随手捏起几个，捧在手里细细地看。他说很好，这些“硬币花”我们公司全要了……总共有多少朵？

男人说，100 万朵。

年轻人问，怎么会有这么多的库存量？

男人笑一笑说，十几年前，工厂需要很多这样的“硬币花”，可是后来，我们不再出口那几款需要“硬币花”的毛衣，这“硬币花”就积压下来了……这是一个女人十年的劳动，每天钩 300 朵左右，钩了整整十年……这里有 100 包，每一包正好 10000 朵。

男人知道，他和工厂的难关就要过去了。他会用卖掉这些“硬币花”

的钱购买急需的布料，重新组织生产。如果一切顺利，他坚信自己的工厂马上就会好起来。这些看似没有生命的“硬币花”，不但帮助女人度过了难关，更帮助了男人自己。似乎现在，这些五颜六色的“硬币花”真的竞相开放。它们姹紫嫣红，散着迷人的芳香。它们为男人带来了好运。

年轻人伏在桌子上，为这笔货款，签下一张支票。男人接过支票，感激地问他，能问一下您老板的名字吗?

她叫小玲。年轻人说，她说她的母亲，曾经在十年时间里，为您的工厂，栽下 100 万朵“硬币花”。

快　递

〇梅子涵

现在都喜欢快递。一封不重要的信，一份有些重要的合同，一包盼望读到的书，一盒扬州包子，一袋山西枣，都会快递而来。弄得门铃不断，喜气洋洋，很像成功人士。

我也很像成功人士，因为我不但有快递，而且几乎天天有，有时一天多达五六个，让人高兴得手忙脚乱的。

这一天，我在三楼书房看书时不知不觉睡着了。如果没有睡着，那么下面的故事不会发生，可是我不幸睡着了。

在我睡着的时候发生了什么？没听到门铃声！没听到快递打我的手机，都没听到。他是因为按门铃我没有听见，所以就打手机，可是我的手机设置为震动状态。

不过当手机再次打来时，我却又听见了，醒了。

“你在家吗？”声音很愤怒。

“我在啊。”

“你看看我打了多少个电话给你！我打到现在没有停过！”很愤怒的声音喊。

“你是谁啊？”

“快递！”他都是喊的。

“对不起，对不起，我刚才睡着了，没听见。”

“你们上海人都不接电话的！”

“上海人都不接电话？刚才是没有听见。”

“你不要说了，你现在下来！”他大喊着。他大喊的声音非常响，已经无理得“不成体统”，任何一个被送快递的人听见都不可能按得住性子了。

我的火终于“腾”地蹿上来，那蹿上来的声音也几乎听得见。我飞快地下楼。我要去问问他想干什么——他这是在送快递吗，是不是准备拼命？三楼、二楼……我飞快地走，同时我也在极力地压制自己的怒火，不让它歇斯底里地爆发——吵架也没什么意思。二楼、一楼，我走得飞快。结果一腔怒火竟然渐渐地被我压制住了，等打开大门的时候，我已经没有什么火。从三楼到一楼的过程，我把自己锤炼了一次。

我不想吵架，没有意思，歇斯底里会不成体统。

但是那个大喊的声音想吵。他站在门口，他的脸上只有火！

“你好。”我说，“很对不起，我睡着了，没有听见。”

“如果听见我怎么会不接？”我说。我还说了别的话，表达歉意，也想表达友好。

可是他的气好像没消。最后，当他把一包书递给我，把签收单扔给我，喊叫地对我说“你签名”的时候，我锤炼了的克制悉数被粉碎，火“腾”地重新蹿了上来！

“我不会签的！”我大叫。

“你打电话给你们老板，让他和我说话！”我大叫。

我终于开始歇斯底里了。锤炼的成果很容易被扔弃，我歇斯底里的时候哪里还像个教授。

他说他不要签收单了。他跳上电动车开了就走。他就像一团烈火，滚着离开的。

我站在门口大口喘气，整个上午乃至全天的好心情已被毁了。

故事是可以到此结束的。

我回到房里，生着闷气，想着这个莫名其妙、歇斯底里的过程。我也可以看看快递单子的联系电话，打个投诉电话。不管有没有用，肚子里的气一定可以减少。

可是我没有回到房里，而是去追那团烈火了。我像一团烈火似的去追他。我自以为是地认为他必须向我道歉。我心里的怒火就像是脚底的轮子，可笑极了。

我们小区很大，可是我竟然追到了他。他已经到了另外一家的门口。他的电动车停在樟树下。他正在和这家的女主人吵架！女主人说：“你什么态度!”

我幸灾乐祸地说：“你看你，刚才和我吵，跑到这儿又吵。你很喜欢吵架，是吧?”

他没有理我，有些沮丧地回到电动车前，上了车。他也许也在懊悔：我怎么又和人吵上了。

这时，我才看见，他的头上有很多的汗!

他被晒得很黑，其实他大概只有二十出头的年龄。

二十出头的时候，我正在一个农场当知青，也被晒得很黑。

那时，我不能再读书。他现在也读不了书，干着这样一份按人家门铃、打别人手机、可是别人却可能没有听见的职业。

我用手擦擦他额头上的汗。我说：“你热吗?”怎么会不热?

他没有避开我的手，猛然流泪了，大滴地落下来。

我突然觉得，自己像一个父亲在抚摸孩子。他的年龄应该比我女儿还小些，是应该叫我女儿姐姐的。我的女儿正在法国读文学博士，而他呢，骑着电动车，把一包我喜欢的文学书给我送来。

我有些难受起来。

我摸摸他握着车把的手，说：“我刚才态度不好。谢谢你为我送快递。你一个人在外面工作，要照顾好自己，让父母放心。上海人都会很感激你们的!”

这么说着，我也流泪了。

觉得温暖，心里涌满了情感和爱的时候，每个人都会是另一个“样子”。

这个上午没有被毁掉。我们挽救了。他离开的时候说：“我走了。”我说：“你骑得慢一点。”我们竟然有些像亲人告别。

后来，他又来送过一次。他有点儿害羞地站在门外，我说：“是你啊？你好吗？”

那以后，我再没有见到他。我很想他再来为我送快递。我会说：“是你啊？你好吗？”

斗牛节

〇秦德龙

乡里准备向西班牙人学习，搞个斗牛节。也就是“斗牛搭台，经济唱戏”，把本乡的老黄牛宣传出去，让世界各地的人民吃上本乡的牛肉。

乡长说：“据我所知，咱乡的老黄牛，是最正宗的老黄牛。不但性格温厚，能干重活儿，而且肉质鲜美，芳香可口。但国际友人不了解我们，以为天下的老黄牛都一样，只会埋头耕地。我们举办斗牛节，就是要让全世界都知道，咱乡的老黄牛，集合了所有老黄牛的优点，是世界上最棒的老黄牛。说白了，我们也只能通过斗牛的方式，把老黄牛的优势宣传出去，让老黄牛与世界接轨，出口创汇挣美元。”

一听说老黄牛能出口创汇挣美元，乡干部们都拍手乐了。是啊，用老黄牛换美元，工资就不用愁了！乡干部们积极性都很高，骑上摩托车，下到各村发动老百姓去了。

很快，就确定了参加斗牛节的老黄牛名单，都是些高大健壮的公牛，母牛是不能参加斗牛节的。母牛即便肚子很大，也是不能拉到战场上去的。否则，流产了怎么说?

斗牛士的名单，也确定好了，是乡里有名的那些混混儿。须知，不是任何人都可以成为斗牛士的。庄稼人胆子小，况且，又是洋把戏，弄不好，把肠子捅出来怎么办?而混混儿就不同了，只要好吃好喝给钱花，混混儿就不再是混混儿了，而是一种特别能战斗的特殊人才。

乡中学临时改建为斗牛场。让全体师生组成拉拉队。斗牛节举办成功了，教育经费也就解决了，老师们又何乐而不为？

红布也发下去了，每个斗牛士发了一块。西班牙斗牛士都有红布。人家有的，咱也要有。不就是一块红布吗？大钱都花了，何必在乎小钱呢？红布，是可以让牛兴奋的，是必要的道具。

斗牛节这天，乡中学大院挤得人山人海，村村寨寨的人，都奔过来看热闹了。许多人还挑上土产日杂，摆到乡中学门口来卖。就连说书的、卖唱的、修家电的、交易牲口的，也跟着出场了，这样一来，节日的气氛就出来了，红红火火，喧闹非凡。

乡长上了主席台，举着大萝卜般的麦克风宣布："斗牛节——现在开幕！"

从县里请来的响器班子，及时地奏出了《西班牙斗牛曲》，音调怪异而又狂欢。人们的心，忽一下，全都悬起来了。

紧跟着，斗牛场的大门打开了，一群老黄牛冲了进来。为了让老黄牛增强斗志，前一天就不给它们喂草料了。不然的话，它们不往前冲怎么办？斗牛场里堆着一些新鲜的嫩草呢。是的，老黄牛一冲进来，就看见了嫩草！老黄牛们吃起草来，吃得满嘴喷香。

在《西班牙斗牛曲》的伴奏下，斗牛士们挥舞着红布登场了。他们"哗哗"地挥舞着红布，显得煞有介事。可老黄牛们视而不见，只顾低头吃草。仿佛斗牛士不存在，仿佛红布不存在。它们的眼里，只有地下那些嫩草。而且，是现成的嫩草，啃都不用啃，叼到嘴里就吃了。

这可怎么办？斗牛，斗不起来！

直到地上堆着的嫩草全都吃光了，斗牛，也没斗起来！老黄牛们温情脉脉地靠拢在一起，就是不肯与斗牛士共舞。

斗牛士们累得满头大汗，显出了几分沮丧。

乡长手一挥，立即启动应急预案，给拉拉队和围观的群众发红布，每人发了一块。乡长让大家挥舞着红布欢呼，声势浩大地欢呼，刺激老黄牛，让老黄牛疯狂起来，与斗牛士共舞。

可是，老黄牛仍然表现得很麻木，似乎不明白这些人要干什么。

乡长只好启动第二套应急预案了。只见乡长打了个手势，小混混儿扮作的斗牛士退出去了，从场外换进来一拨儿屠夫。这些屠夫，皆是红袍加身，手持亮刃。屠夫都是杀牛的高手，一伸手就把牛逮住了，照着牛脖子，扎下了刀子。

牛们终于疯狂起来。牛们身上带着刀子，在场地里疯狂奔舞。激动人心的时刻总算来到了，响器班子将“斗牛曲”吹奏得越发癫狂了。屠夫们对着老黄牛手舞足蹈，火红的身段翻滚着，如同熊熊大火。围观的人们欢声雷动，挥舞着红布，组成欢乐的海洋。

很快，屠夫们就将那些老黄牛杀掉了，杀得干干净净，剔了骨头，放了血水，撑开了牛皮。

斗牛节胜利闭幕了。

县电视台播放了这条富有经济特色的本地新闻。新闻片子送到了省电视台，希望省台能在黄金时间播一播；省台播了，再往中央台送，一级一级来。可省台一直没给播。

乡长亲自去省电视台活动了。

省电视台的人说：“什么斗牛节？简直是胡闹！”

乡长不解：“怎么是胡闹呢？我们是有组织、有计划的。每个人都发了块红布，杀牛的还穿了身红袍，气势相当壮观！”

“你以为牛看到红色就亢奋了？”

“西班牙斗牛士的手里，不就是有块红布嘛！”

“牛是色盲！知道吗？”

“什么？牛是色盲？那西班牙斗牛士拿块红布干什么？”

“什么红布？那叫穆赖塔，正面是红色，反面是黄色，是西班牙国旗的颜色！”

“是吗？我怎么不知道呢？”

长 青

〇曾 平

长青坐在坝子边读书。凳子是从街边两块钱买来的，身边摊了好几本书。看着看着，长青就伸出手，去旁边摸茶缸。茶缸是一个曾经装过饮料的玻璃瓶，玻璃瓶里的茶叶，是街边上一块钱抓一大把的那种。长青喝得有滋有味，眼睛始终不曾从书里挪出来。

家在长青身后，一排青砖瓦房，据说是四十多年前建的，还住过县长。长青住了两间，其余的由刚刚进机关的小青年临时住着。妻子还想申请一间，反正空着也是空着。长青申请写了好几次，领导找了好几次，始终没有结果，也就懒得去找了。妻子有意见，嘴撅得高高的。长青一边读着书，一边对妻子说，不给就算了，反正我们也住得下。

比长青后到机关的，陆陆续续从这里搬进楼房了。当然，前提是他们陆陆续续提了科长、局长，或者主任什么的职务。

妻子有了不少怨言。尤其在洗衣拖地做饭洗碗时，看见坐在坝子边读书的长青，气就奔腾不息。妻子就数落，看，看，天天都在看，你看得出房子来？长青喝着茶水，眼不离书，说，读书好啊！书中自有黄金屋。

妻子不依不饶，揪着长青的耳朵说，你把房子给我搬来，我要住进去。长青哪里搬得来房子？他轻轻拿开妻子的手，开导说，这里不是很好吗？冬暖夏凉，还有这棵香樟树，该有三四百年了吧？楼房里哪有？长青喜欢坐在香樟树下读书，一整天的心情，都清清爽爽。

妻子骂，好！好！好！天天都有老鼠跳舞，天天都担心老鼠亲嘴！长青住的青砖瓦房，历经岁月，早已斑斑驳驳，千疮百孔，倒成了老鼠、蟑螂、苍蝇、蚊子的乐园。直到有一天，妻子把长青的手从书那边拉过来，放在自己的肚皮上。长青，咱们有孩子了。

妻子说，长青，你看得出奶粉不?

妻子说，长青，你看得出衣服不?

妻子说，长青，你看得出学费不?

妻子说，长青，奶粉要钱买，衣服要钱买，孩子要上学、要住房子，这些都要钱。长青在床铺上辗转反侧。过了些时候，香樟树下，看不见读书的长青了。

长青出入应酬的酒桌上，长青融入交际的牌桌上；长青和同事说一些不着边际的话题，开一些不痛不痒的玩笑；长青出入领导的办公室、家中。长青提拔了。

长青有了小车，搬进了楼房，两百多平方米，还带一个花园。妻子在花园里下了不少工夫。花园里特意安放了书桌和凳子。书房里，一排书柜迎着花园里那排绿树。妻子把长青的书一本不少地搬进书房，还按长青开出的书单，买回来很多新书。长青坐在老板椅上，背靠着一屋子的书，看着一园子的青枝绿叶。但长青难得回家看书，回家都是满嘴酒气，倒在床上就呼呼大睡。

长青说，忙。

长青说，累。

长青说，苦。

妻子说，长青，你可以读读书。长青大怒，说，你这人，太霸道。你逼我当官，我就当官；你让我读书，我就读书?

妻子挺委屈，说，当官不好吗？读书不好吗？

长青更怒，说，你怎能既要我当官又要我读书?!

妻子叹着气，说，我还是喜欢你以前读书的样子。

长青哈哈大笑，说，可能吗？回得去吗？

芹

○和莲芬

芹是喝羊奶长大的，她对羊就有特殊的感情，羊在芹家也就有了特殊的养法。芹家专养母羊产羊羔，羊羔断奶后，公羊羔卖掉，母羊羔留下接着产羊羔。等芹长成待嫁的姑娘，芹家已羊群满圈，靠羊发了家。

芹出嫁时娘家陪送了一份特殊的嫁妆，是十只母羊羔。

婚后，芹在婆家仍养羊。村里的大姑娘小媳妇闲下来爱往芹家跑，看芹给羊喂草、垫圈、打预防针。就有人羞答答地给芹说也想养羊，芹就爽爽快快答应了。于是，家家户户的小院里就飘出让人充满希望的羊膻味儿。

芹的事儿从村里传到乡里，乡长就带人到芹家来看，一看就把芹定为致富带头人，把村里定为养羊专业村。

这年村里换届选村主任，村民们没有酝酿商议，竟投票选芹当了村主任。

当了村主任的芹更忙了。她要把全村的人都发动起来养羊，成为名副其实的养羊专业村，让全村人都靠养羊富起来。

村西的哑巴日子过得紧，还拖着一个刚上小学的女儿，芹干脆送两只羊羔让哑巴养。哑巴倒没显出多大热心，哑巴才八岁的女儿欢喜得不得了，抱着羊羔冲着芹甜甜地笑。芹一下想到小时的自己常常抱着羊羔冲满世界的人甜甜地笑。从此，芹对哑巴的女儿特别照顾，几乎是代哑巴养羊。不久，哑巴家的羊也怀上了羊羔。

哪知，养羊正搞得红红火火，开始推行退耕还林封山禁牧的政策了。

乡长急急忙忙跑来对芹说，三天内要把全村的羊处理完，一只也不能留。芹的村是丘陵地区，连圈养也不允许。三天后若发现一只喘气的羊，拿村主任芹说事。

芹就很后悔接了村主任这个职务。要是自己家的羊在三天内处理完，芹也就不犯愁了。可这是全村几千只羊，让芹一个嫁过来才两年的新媳妇去做，还真有点不好说。

芹为了把村民的损失降到最低，忙找来全村的干部商量，大家出了不少主意：送到平原亲戚朋友家圈养；卖一批怀羔的羊；忍痛往屠宰场卖一批。芹嫁过来这两年天天泡在各家的羊圈里，跑前跑后为村里每家每户奔忙，村民都很理解芹。在三天期限来到的那天下午，村里真的没有了一只喘气的羊，只有那曾诱人的羊膻味儿还在空中飘荡。

乡长领人来一家一户检查，对芹的工作作风很赞赏，连连说，芹，村主任当得蛮好嘛。芹脸上的笑却苦苦的——她宁愿不当这个村主任。

只剩村西山坡哑巴家了，乡长虽表扬了芹，但对最后这一户却没掉以轻心。一行人在院外院内甚至屋内都转了一遍，刚要出院门，却听到“咩——”一声羊羔叫。大家一愣，都住了脚步。芹忙跑进屋，直奔床下。芹看到哑巴的女儿抱着一只刚出生不久的羊羔藏在床下，那目光热热地望着芹。芹鼻子一酸，眼泪差点流下来。芹为了不让父亲卖羊羔也曾抱着羊羔躲到床下，哑巴的女儿多像当年的自己啊。

乡长发了火，我说芹啊芹，这是全县的统一行动，你们村是重点！幸亏来复查，真信了你的汇报，明天电台来跟踪报道，还不给曝光？赶快处理掉！

芹没说话，把哑巴的女儿和羊羔一起揽进怀里。这两天只忙着处理羊，把哑巴家母羊产羊羔的事儿忘了，这才忙中出错。

哑巴的女儿怯怯地望着乡长带来的人，紧紧抱着怀里的羊羔不撒手，轻轻说：俺老师说了，要爱护动物。听了这句话，芹的眼泪簌簌地流下来。

乡长一看，脏话就出了口：扯鸡巴蛋，要搁过去……

乡长忽然闭了嘴，他发现许多村民都用冷冷的目光看着他。

芹把哑巴的女儿同羊羔放到自己的自行车后座上，骑车向自己家而去。乡长紧追着喊：芹，你可不能犯浑。

芹答：我不想伤了孩子的心。

大家不放心，一齐赶到芹家。见芹把婆婆养的一窝小鸡端来，跟哑巴女儿换，并说，你的羊羔由阿姨来养。哑巴的女儿最终很信任地把羊羔留在了芹家。

禁牧的山坡很快绿了起来，那一丛丛灌木林也长了一人高。闲下来的村民们又开始望着山上的草木发呆。

芹自从把哑巴的女儿留下的羊羔送出村，就向乡里打了辞职报告。村民们对芹还是很热情，谁家猪啊鸡啊闹病还找芹，芹照旧很尽心。

等乡里派人来村里重选村主任，芹没想到村民们选的还是她。

“钓鱼”

〇苏三皮

退休后，老王越发觉得日子过得没滋没味。没退休时还好，在办公室里看看报纸喝喝茶，或者找同事开开涮，说上几个黄段子，一天就这么过去了。退了休，日子仿佛被拉长了一样。老王想到公园去，和几个老头儿下下棋，唠唠嗑儿，却又互不相识。何况，别看是几个老头儿，似乎都还不那么坦荡，聚在一起也没什么意思。

老王也曾想过搬到乡下去。乡下好呀，至少邻里之间可以互相串串门，你来我往的。再说了，乡下人也少心计，找一个人唠唠嗑儿也容易，即使互不熟悉，也没什么顾虑嘛。可儿子小王却坚决反对。小王在一个机关当干部，是有身份有地位的人，他可不想让人背后说闲话。而且，乡下医疗条件不好，万一有个三长两短，这事儿就不好办了。老王身体本来就不好，血压高，还犯过哮喘，所以也就打消了这个念头。

白天，老王百无聊赖地翻翻书，心不在焉地看看电视。合上书，关了电视，老王就去阳台上踱步，来回走上几圈，折回屋里，却又不知道做什么好。老王就趴在窗台上看云，天空很淡，云儿轻轻的、飘飘的，像棉絮。

有一次，老王看到楼下有个十来岁的孩子也在看云。老王突然感到很兴奋，就想着和那孩子搭讪搭讪，可就在老王张口那一刻，孩子抱着一个足球反身回屋了。老王等了很久，也没见他出来，心里就莫名地感到失落。

很快地，老王又开始兴奋起来。他很认真地剪下一张方方正正的小纸片儿，找来笔，在纸片儿上工工整整地写了一句话：你也是一个人在家吗？你也喜欢看云吗？咱们交个朋友，好吧？老王写完，自己先念了一遍，感觉满意了，才将纸片儿卷起来，然后找来一根细长的绳子，一头系在纸片儿上，另一头牵在手里头。都准备好了，老王才慢慢地将纸片儿放到楼下的阳台上。老王点了一支烟，慢悠悠地喷着烟圈，过一会儿还将线儿拉一拉，吊着的纸片儿就在楼下的阳台上一晃一晃的。终于感觉手上的绳子被紧拉一下，像鱼儿咬钩一般，老王霍地站了起来，却又暗暗告诫自己，切不可心浮气躁，怕将“鱼儿”吓跑了。直到手上的绳子再没动静，老王才探出头，向楼下望去。绳上的纸片儿不见了，老王长舒了一口气，心却莫名地激动起来。

又等了大约十分钟。在这十来分钟的时间里，老王又点了两支烟。抽完烟，老王闭上眼睛打了个盹儿。人上了年纪就是这样呢，常常坐着坐着就睡熟了。一个激灵将老王弄醒了，手上的绳子又被紧拉了一下。老王知道，“鱼儿”上钩了。他小心地将绳子拉上来，果然有一张纸片儿系在绳子上。

老王将小纸片儿解了下来，蘸了点儿口水，小心翼翼地打开来。上面歪歪扭扭地写着一行字：我十分高兴与你做朋友，但妈妈说过，现在坏人很多，不要和陌生人做朋友。你不会是坏人吧？

老王感到自己的哮喘又要发作了，但他强迫自己镇定下来，赶紧回屋，又剪了一个方方正正的小纸片儿，写道：我怎么会是坏人呢？我是你的邻居呀，就住在你的楼上。你喜欢踢球吧？我喜欢下棋，但是没人陪我下。写好，老王轻轻地叹了一口气，又将纸片儿卷起来系到绳子上，乐悠悠地放了下去。

不一会儿，老王又“钓”上来一张小纸片儿：好，我相信你，你怎么知道我喜欢踢球呢？现在是暑假，同学们都被关在家里，也没人陪我踢球。

老王嘿嘿地笑了两声，又剪了一张纸片儿：可惜我不会踢球，要不我去陪你踢球好了。我们一块儿去逛公园吧，可不能周末去，周末人多得跟蚂蚁一样呢。写好，老王又满意地将纸片儿放了下去。

…………

时间过得真快，不觉就到中午了。

小王下班回来，见父亲正在阳台上玩着一根绳子，就问，爸，你这是在干什么？

老王窘迫地收起绳子，僵着脸说，“钓鱼”。

小王疑惑地问，钓鱼？

老王瞬间就释然了，点点头说，对，“钓鱼”啊。

马哥的婚事

○胡碧波

马哥是姐夫的同学，他们从小一起长大，一起上学。马哥和姐夫一家相处得很融洽。他常去姐夫家蹭饭，与我有几面之交，加上与姐夫的关系，他称我小胡，于是，我自然叫他马哥了。

马哥1970年春天出生于一个偏僻的村落，毕业于省城师大，后来被分配到乡镇一所初级中学教书。二十四五岁的人了，在农村也到了该找媳妇的年龄。当初，大姐介绍了一个农村小学代课教师小黄，我在姐夫家见过，很文静的女孩。马哥说，他还不急。其实，在他内心，是嫌弃小黄是代课教师，没有稳定的工作——他要找一个吃皇粮、端铁饭碗的媳妇儿。那个年代，在农村中学，大学本科生寥寥无几，马哥也自然成了新闻人物，很是吃香，有许多女孩子献殷勤。越是这样，马哥越放不下自己，亲戚、朋友、同事，相继给马哥介绍了好几个，他就是看不中，不是嫌人家姑娘相貌平平，就是认为没有正式工作。后来，马哥干脆不再相亲了，说调进市里再说。堂堂一个大学生，难道就找不到称心如意的对象？

一晃5年过去了。不幸的是马哥仍然光棍儿一条；可喜的是马哥通过打点疏通，终于调到市里的一所中学。马哥进驻市里之后，与我接触得多了，时不时相约小聚。那时，他在学校附近租了间民房，一个人生活。马哥央求我给他介绍个对象，刚开始给他说了个市直机关的公务员，可惜，人家没有相中他。那姑娘说，马哥没有房子不要紧，他们结婚后可以努力；看不惯的是他的穷酸样儿，说好在湖边散步，可他推着自行车不放，生怕别人偷走了。他约姑娘吃西餐，却带进了川菜馆，要的菜不是醋熘土豆丝，就是茄子炖土豆、苦瓜土豆炒番茄，真是十足的“土豆大哥”，不够浪漫。马哥进城的第一桩婚事泡汤了，马哥许诺我的精品毛尖也随之打了水漂。

在一次老乡聚会上，马哥说，他的同事介绍了好几个，有企事业单位的，有行政机关的，也有商场搞营销的，不管咋说，女孩子都是一口价：非房勿扰。除了姑娘眼中的房子外，马哥也是一个很挑剔的人，眼看三十四五岁的人了，还说要么有正式工作，要么长相如花似玉。

一眨眼，马哥进城也有五六年了，在亲朋的帮衬下，他按揭了一套房子。马哥的父母为他的婚事操碎了心，眼看快40岁的人了，马哥还是一个人独守空房。然而，马哥稳如泰山。有房子了，还怕找不到满意的媳妇儿？然而，事实并不是马哥想象的那样。朋友给他介绍了几个，都嫌他年龄大了。有一次，姐夫约马哥小聚，在饭桌上，我细细端详了马哥，皱纹已布满了眼角。这次小聚，大家都没有谈及他的婚事，毕竟40岁的人了，怕伤他的感情。

去年夏天的一个周末，我带女儿和外甥女去公园玩，她们在湖中划船，我在湖边纳凉品茗。不经意间，马哥从我身边走过，我看见他一个人在游荡，便叫住了他。在聊天中，总是回避不了他的婚事。马哥一脸的茫然，叹了一口长气，说还没有。他问我和女儿一起划船的是谁，我说：“你不认识了？那是姐夫的女儿丽丽，13岁了。”马哥说：“都这么大了。”眼神流露着一种失落。

在公园与马哥不期而遇后没多久，马哥打来电话：“小胡，我要结婚了，请你喝喜酒。”“真的？”我诧异。“真的，不骗你。这个星期六，玫瑰大酒店。”从电话那头，听得出马哥是多么兴奋。马哥要结婚了，也该结婚了。我高兴地跳了起来，眼圈也湿润了。

马哥结婚那天，我携妻带女参加了马哥的婚礼。马哥挽着新娘徐徐走向婚礼现场。新娘穿着婚礼服，显得比马哥高了许多。当证婚人向新郎新娘颁发“营业执照”时，新娘的名字是那么的熟悉。我问同桌的客人，新娘是何许人。客人讲，新娘是乡村代课教师。听罢，我茅塞顿开，新娘不就是大姐最早给马哥介绍的小黄吗?

马哥与小黄是在虎年喜结良缘的，也放下了亲朋好友的一桩心事。今年立秋那天，马哥到单位找我，说要为儿子过满月，让我一定参加。我向他胸部击了一拳说：“你真行，速战速决。”马哥风趣地说：“几年来，没混个局长、校长当当，但肩上也有‘长’了。”“科长?”我不明白地问。“家长。”马哥边说边把喜烟塞给我。

轻　松

○佛　刘

女人五十岁退休，对别人来说可能是一种解脱，可对丁小红却没有那么轻松。父亲常年有病，儿子正在上大学，靠那一千多元的退休金，根本就无法支撑现在的生活。有朋友劝丁小红再找个老公，可她摇摇头说，我不想再伺候别人了。在街上转了几遍以后，丁小红决定在离家不远的街角摆个烟摊。

做出这个决定是因为丁小红遇到了老同学刘大松，刘大松在工商所上班，办营业执照方便。

果然，刘大松一听丁小红的意思，马上就拍着胸脯说，小事一桩，全包在我身上。

丁小红零售的基本上都是一些低档烟，这样的香烟容易卖，成本又低，风险也小一些。偶尔有要高档烟的，丁小红也不是不卖，只是要提前打招呼，转天一手交钱一手交货。

这天，丁小红快要收摊的时候，刘大松忽然来了。丁小红说，你那么忙，怎么还有工夫来我这里？刘大松说，关心一下老同学嘛。丁小红说，别说得那么好听。说说看，是不是没烟抽了？刘大松说，你把老同学看成什么人了，即便是没烟抽了，也不能跟你张口啊。丁小红拿起两盒“黄鹤楼”说，别嫌档次低。刘大松挡了丁小红的烟说，别寒碜老同学了，不过，我还真有点小事需要老同学帮忙。丁小红说，我能帮你什么忙，我可是什么本事都没有。刘大松看看前后左右，然后说，朋友有一些烟，想从你这里卖一下。啊哈，当然，你要是不愿意，也无所谓的。

丁小红说，承蒙老同学看得起，这点小事还是没问题的，只要不是假烟。

看你都说哪里去了，我能让老同学干那种事吗？烟，都是真的。

那你就拿过来吧。

转天，刘大松就拿过来几条烟，丁小红看看牌子说，“中华”可是不好卖啊，你也知道我的消费群体。

刘大松笑笑说，能卖多少就卖多少，无所谓的。

那好，先放这儿吧，我尽力而为。

有报酬的，刘大松讪讪地笑笑。

我可不是为了你的报酬。

那好吧，我心里有数。

其实那些“中华”烟并不难卖，现在的人们，有什么不能消费的，有卖就有买。

刘大松一般半个月来一次，送一些烟，收一些钱，和丁小红聊会儿天，偶尔还帮丁小红销售一些香烟，都是一箱一箱的，弄得丁小红反倒很感激刘大松。

眨眼几度春秋，刘大松最后一次露面之后，已经快两个月没来了。丁小红有些奇怪，当然更有点着急，她手里已经有刘大松两千多块烟钱了，不是自己的钱，放在自己口袋里，心里就不踏实。丁小红拨了刘大松的手机，但每次传过来的声音都是“你拨打的电话已关机”。

丁小红决定去找一下刘大松。在工商局，一听说她要找刘大松，对方马上就反问她，你和他是什么关系？丁小红说同学。那个人冷冷地看她几眼说，他出事了你不知道？丁小红茫然地摇摇头。他腐败被抓了。为什么啊？你问我，我还想问你呢。那个人满脸的不高兴。

出了工商局，丁小红才意识到自己浑身都快湿透了，如果刘大松是受贿，那么自己无形中就成了她的帮凶。丁小红按住怦怦乱跳的胸口，一时不知何去何从。

烟摊继续摆着，可是丁小红却有些心不在焉了，她总觉得有一天会有人找到她，让她交代问题，可是她有什么问题呢？

那两千块钱从工商局回来以后她就再没有碰过，被压在了箱子底。眼不见心不烦。

一晃，时间就过去了五年，这天傍晚快收摊的时候，丁小红忽然看见了一个熟悉的身影。是刘大松。

刘大松老了，精神头也差了，站在丁小红面前，嗫嚅着半天没说出一句话。

丁小红拿起两盒精装的“黄鹤楼”说，别嫌档次低。

刘大松接了“黄鹤楼”说，谢谢你，真没想到，你还在这里卖烟。

我能干什么去啊，一把年纪了。

比我强多了。刘大松叹口气说，我还没有工作呢。

唉，丁小红叹口气，要不把我的烟摊转让给你。

看你说哪里去了。刘大松揉揉眼睛，我只是来看看你，没有别的意思。

我那里还有你两千块钱呢，我回去拿给你。

快打住吧，刘大松快速地摆摆手，麻烦你，替我把钱都捐出去，越远越好。

看着刘大松远去的背影，丁小红忽然感到一阵从未有过的轻松。

周围，正暮色四合，居民楼里的灯光都温柔地亮起来。

白骨树

○冬　荣

服刑人杜康田一夜没睡着。父亲说定了这个接见日要带孙子小虎来探亲的。杜康田又盼老爹又盼儿子，上午等到中午，中午等到晚上，也没等到他们——可别是出了什么事？

父亲一辈子守信，即使对儿子也不轻弃许诺。父亲虽年届花甲，但很硬朗，身体不会有事。父亲是聋哑人，一辈子只会忙活田地里那点儿事，去趟镇子就算是远行，现在身旁累赘着个小虎，更少出门了。杜康田因抢劫罪进了监狱，母亲一急之下撒手离开人世。媳妇儿离了婚，要带走小虎。为了留下孙子，白发苍苍的父亲当众跪在了儿媳妇面前。亲亲热热一家人，如今只剩下相濡以沫的一老一少。这个家不能再出什么事了！

杜康田一会儿睁开眼瞪着天花板，一会儿闭上眼听着别人的鼾声。其实他是视而未见，听而未闻。他的心在想象的屏幕上跟踪着父亲的身影：天刚蒙蒙亮，父亲拉着没睡醒的小虎出了门，反身锁上门，往村口赶。那里有开往安州的汽车。到安州，爷孙俩再转乘到北方市的车。杜康田的想象到安州时作了个停留，停在一棵著名的老树上。

杜康田在安州读高中的时候，寄住在大姑家。由大姑家上学，必经著名的千年古塔和更为著名的白果树。在安州，有句妇孺皆知的老话：“先有白果树，后有安州城。”这是棵失去了观赏美感的树，但走近它，谁都会感到生命的惊骇和心灵的震撼。准确地说，它不是一棵树，而是一具老树的枯骨。谁也不知道它枝繁叶茂时的样子，只知道，在这片土地上有住户的时候，它就是一棵脱去了全部树皮的死树，主干、支干、枝杈，全似森森白骨，千余年的风刀雪剑，不曾摧垮它，千余年的战火兵燹，不曾焚毁污损它。连其中一个不知哪个世纪因何被折断的枝干，都一直保留着雪白的锋利碴口。高中生杜康田每每经过它身旁都不免心生敬畏。有一年，省报的副刊上登载了杜康田的老师写的一篇名叫《白骨树》的散文，服刑的杜康田至今还能记得其中一段：

不知谁夺去了它叶茂枝繁的青春，不知何年，它失去了岁荣岁枯的生命，只留下这束洁白的尊严，钢一般的铮铮白骨。它是凌辱、伤害、摧残锻压出的不屈的精魂。那一支支射向苍穹的枝杈，是一只只指问天理的手臂，千余载，千余载地等待着，祈盼着苍天的回答……

杜康田的想象离开安州，前往监狱所在的北方市时开始迷乱。公共汽车以惯常速度行驶，这段路用不了两个小时，再慢，上午十点前也能到监狱。可是，一整天了还没到！杜康田的嘴上起了一串燎泡。

第二天上午，指导员派人来叫杜康田去接见室——父亲到了。

父亲真的出事了。由安州到北方市的那趟车中途遭到抢劫，司机被打成重伤，几个歹徒抢了车逃走。父亲因护着带给儿子的300元钱遭了打，小虎的头也被碰伤。遭劫后，父亲身无分文，一瘸一拐地拉着六岁的孙子走了十几个小时！

父亲的额头和面部多处受伤，右眼青肿得可怕，嘴角和白发上都有紫褐的血迹，棉袄棉裤都撕破了，后背和膝盖上结着几块粘着灰土的血污。父亲用手势与表情讲述着遭劫的过程，泪水在他皱纹纵横的脸上滚动。杜康田想象父亲被捺在座位上承受着棍棒和恶拳，手里紧紧攥着带给儿子的几张纸币，鲜血像现在的泪一样在脸上流淌。杜康田瞅瞅儿子：小虎长高了，原先绣在膝盖处的虎头，现在上了大腿，裤脚下粗针大线地接上一圈，那定是一辈子没摸过针线的父亲做的。孩子累坏了，趴在爷爷的膝上睡着了，带有血痕、泪痕的脸还向爸爸这边仰着。

杜康田的心在碎裂。

突然，父亲推开小虎，站起身来，瞪圆了血红的左眼，盯住杜康田，抬起手，愤怒地指向他，另一只手捂住心口，又攥成拳，狠狠地捶打起来。然后，他展开手臂，直直地指向窗外的天空，久久地定在那里！

杜康田明白父亲的全部话语。父亲是在吼：你这个忤逆！你在抢劫的时候，腔子里蹦的是人心吗？报应呀！报应！天不容你……

犹如遭了雷击，杜康田被定在了那里。在他的眼里，父亲的形象也是定格的，那指向天空的手臂正是白骨树那千年不屈不倦指天诘问的枝杈，坚不可摧，锋利无比。

杜康田跪下了。跪向了心血淋漓伤痕累累的父亲，跪向了幼小的儿子，跪向了死去的母亲，跪向了自己伤害过的每一个人。

舞厅门前

○李日月

走出工棚，小周心头忽然掠过一丝悲凉的情绪。现在工棚里的通铺上只剩他和小武两个人的铺盖了，而且，用不了几天，这低矮简陋的工棚就将不复存在。他们本该和队长他们大队人马一同离开，但就在临行前，一个奇怪的念头让他们决定推迟两天动身。

他们属于一个县建筑公司的电工队。公司在偌大的省城拿下这超级舞厅的全部建筑项目，已按合同要求验收并如期交工。他和小武都还是头一次来省城，只是在电视上见过舞厅的镜头。他们这次留下来就是要看看自己建造的舞厅，看看他们自己安装的各种灯具怎样伴随着轻盈多姿的舞步和舒缓的舞曲变幻颜色、放射光芒。

标示着“舞厅”二字的大型红色霓虹灯一明一灭，闪闪烁烁。铺设电缆和安装吊灯时他们从大厅出出进进，竟然没料到这两个字这样醒目，像在夜空中飞翔的火鸟。舞厅门前的广场早已停满小轿车，陆续有男男女女双双入场。在如同白昼的夜里，小周和小武互相瞧瞧对方认真洗过的工装，同时吐吐舌头。开始时甲方经理常爱冲他俩开玩笑，小周和小武也就常跟他说说笑笑，但几天前他们绝对是认真的。

“王经理，舞厅开业时我们能免费参观一下吗?”

“那还用问？开业头一天，我就在大门口等你们，到时候你们可以请最漂亮的姑娘跳舞。”

他们都不会跳舞，不可能有这样的奢望。小周笑道：“进了舞厅我就想听着舞曲，仰着脖子看天棚上的灯呢。”

此刻舞厅门前站着一个身着制服的保安员，另有一个迎宾员在收门票。没有王经理的影子。

小武说，王经理肯定在里边，说不定一会儿就能出来看看。两人就在门外转悠。第一支舞曲从门内隐约飘来，流进他们的耳鼓。一曲终了，还是没有王经理的影子。小周提议还是买两张票入场。小周说票价肯定挺贵。小周说，我请客，少抽两盒烟就是了。去售票处时小武心跳得厉害，说，如果有人请咱跳舞，咋办？小周说，放心，都是男的请女的。

无人售票，他们看见海报写得明白，庆祝开业，招待舞会，概不售票。

小周说，真不巧，我们回去吧。小武说，既然想进去，就再等等。

又等了一会儿，还是没见王经理出来。小武说，咱还是跟门口的迎宾员说说好话，只要张口求人家关照，说不定能给个面子呢。这时小周发现舞厅入口处只有一个迎宾员，保安员已经不在那里了，觉得有门儿。

他们上前很礼貌地先点头后开口：“王经理说过要请我们看跳舞，他可能有事没来，让我们进去好吗？”

迎宾员说：“有招待票吗？没票可不能放你们进去。再说今天的舞会是专门招待各企业经理和厂长的，谁知道哪个是你们要找的王经理啊！”

“他是甲方的。”

“什么是甲方啊？”

他们走开了。他们曾经进出方便的建筑现场已经变成巍峨庄严、深不可测的现代化大舞厅。他们只好在那破旧的工棚睡最后一夜，准备第二天乘火车返回县城。他们快步往回走时，被拦住了。拦住他们的是刚才站在舞厅门口的那位保安员。

“你们鬼头鬼脑的，要干什么？”

“我们本来想看看舞厅里面的情况，因为没有票，进不去。”

“没票为什么还要入场?”

“我们是建筑队的电工，里面所有的灯都是我们设计安装的，我们要看看效果。”

“难道验收时没看吗?”

“毕竟和舞会的气氛是两回事。”

保安员忽然明白了是怎么回事，责怪道：“这点小事何不早说清楚。”说完就带他们进舞厅去。

这一下他们体验到了一切。舞厅的音乐、灯光和缓缓舞动的人群……尽管他们仅仅赶上最后那支舞曲，尽管他们仅仅站在舞场里大约五分钟光景，但他们毕竟赶上了一场大都市的现代化舞会。人流将他们拥出大门很久，他们的胸膛里还激荡着幸福的潮水。

村官

〇张先丰

老叶的儿子叶灵，收到了大学录取通知书，让一家人都犯了愁。

老婆抹着泪，埋怨起老叶："瞧你这村主任当的，反不如不当村主任的时候。前些年，咱家有两辆大东风，跑运输，一年到头往家淌钱，吃不光花不完。现在好了，当了村主任，屋里只剩了四个旮旯儿。人往高处走，水往低处流。你倒好，越活越不行，现在连孩子上学的钱都拿不出。人家常说，千里做官为的吃穿。你说你为的啥？非要当这没名没利的破村主任!"

老叶说："不要不知足。我当年那么多战友，都把命扔在了战场上。我能好胳膊好腿地回来，已经算是天大的好运了。人家把命都献出去了，咱只是损失一点身外之物，又算得了什么?"老叶参加过自卫还击战，立过二等功。老婆只有五分钟的怨气，很快消散干净，然后与老叶一道出门，分头寻亲觅友。忙活了几天，只借到很少的一点钱，还差老大一截。

两口子正愁着，前屋的老翟笑眯眯登门。

老叶警觉起来："是不是又为游戏厅的事?"老翟在村办小学门口建了一个电子游戏厅，被老叶派人拆掉了。老翟说："老叶叔你放心，游戏厅的事，是我错了，今后绝不再提一个字。我这趟来，是听说我叶灵兄弟考上了大学，专门向你道喜的。我知道你这一阵手里紧巴，先给你送5000块钱。大家乡里乡亲的，谁还没有个难处？有了难处，就互相扶一把。"老叶想，都说老翟奸滑难缠，做生意做得掉进了钱眼儿里，看来是错怪了他。

老翟又说："有一件事，还得麻烦老叶叔。咱村里办的那个山货加工厂，今年亏损不少，群众有很多怨言，你看能不能把它转包给我？也算给村里卸个包袱。这事如果能成，这5000块钱的借条，我就不要了。"

老叶如弹簧似的一下蹦起来："你想也不要想，门儿也没有！加工厂今年亏钱，是因为山洪暴发，冲毁了车间，是天灾造成的，我们的方向没有错。下一步加强防范措施，赢利根本不是问题。咱这个村子地理条件不好，没旁的出路，就这一点指望，你就别打这个主意了！"

老翟捡起桌上的钱，重新揣回口袋里，悻悻地离开了老叶的家。老翟前脚刚走，后脚就来了村会计老于。老于说："老叶大哥，你和嫂子这段日子东奔西跑地为孩子借学费，村里的老少爷们儿都看在了眼里，心里老大不忍，就自发筹了一点钱，委托我给你送来。来时，大家伙儿说这是交给我的一项政治任务，如果完不成，下次改选时就把我的会计给撸了。"说完，递给老叶一个用报纸折成的厚厚的包。老叶立刻生了气："老于，你搞什么鬼？村里今年遭了灾，日子都不好过，你怎么可以这样？"

老于说："村里再难，也得让孩子上学！这是全村两千多口子的心意，你不要再推了。这么些年，你为大伙儿没少操心，大伙儿心里有数。以前，咱村被大山挡着，一山都是宝，可是运不出去。你扔下自己的生意，领着大伙儿把公路修通，村里没钱，你添上自己十几年的积蓄。后来，你又给村里办了个山货加工厂，还是缺钱，你就把自己的两部车都卖掉。你为大伙儿做那么多，大伙儿为你做一点点还不行吗？"老于说着淌下了泪。

老叶小心地捧过纸包，像捧着两千多颗滚烫的心，憋了半天，才转身对儿子说出一句话："孩子，记住，是大伙儿供你读的书。"

四年后，儿子叶灵大学毕业，回村参加竞选，当了新一任村主任。

阿憨的生意经

○林俊豪

大暑天，我从仙岳山公园晨练回来，马路边站着一位戴圆草帽的小后生，亮着粗嗓门喊：“卖荔枝，卖荔枝，又鲜又甜！”

闽南人吃荔枝，有将它先泡清水再捞起品尝的习惯。我将买回的一塑料袋荔枝，泡进灌满清水的铝锅里，发现清水被染成血红血红的颜色；原先红艳艳的荔枝，却变得红里泛青。荔枝是染红的。

我气冲冲，往马路边找小后生算账。那家伙自知事情败露，涨红脸，低眉顺眼道：“阿伯，不瞒你说，那荔枝六七成熟，为了好卖染的，不过吃了不影响人体健康。荔枝成熟季节短，保鲜难，生意难做！”

小后生在我面前摊了摊手，装出一副可怜相，我心中火气消了大半。同他聊天，才晓得他名叫阿憨，家住闽南乡下，高中毕业未考上大学，便出来摆水果摊。

夏季，闽南的水果像走马灯似的更迭。荔枝过后，桂圆匆匆登场。我路过阿憨用几张桌椅摆的水果摊，他手捧一大串桂圆，笑迎上来：“阿伯，这桂圆又大又甜。上次卖荔枝坑了你，这回算免费请客！”

夏去冬来，春暖花开。每当我从阿憨的水果摊前路过，总发现他的门面在悄悄变换，他不仅卖闽南盛产的荔枝、桂圆、芒果、菠萝等，还出售北方南运的苹果、鸭梨、大枣，摊子越铺越大，竟把路边的店面也租下了。

那天，我往仙岳山晨练，竟发现阿憨的水果店前还摆放着几个玻璃柜，上面叠放着鞭炮、香烛、纸钱之类，便上前询问：“阿憨，你怎么经营起这玩意儿?”

阿憨摇着纸扇，像笑脸小佛爷，脚步咚咚迎上来：“喂，阿伯，仙岳山修复寺院，善男信女成群结队朝拜，卖些迷信用品更赚钱哪!”

我听着，异常吃惊地端详着眼前这位小后生：莫瞧他憨头憨脑的，满肚里藏着生意经哪!

一次我路过阿憨的水果杂货店，小后生摇头晃脑，又敬烟又递水果，把我像贵宾似的迎进店门，拱手道：“阿伯，咱生意做砸了。你是本地人，得替咱沟通沟通啊!”

“到底发生啥事啦?”我问。

“咱一时糊涂，受骗上当倒卖黄碟片，被派出所逮个正着。拘留半个月不算，又写检查、又挨罚款两万元!”阿憨垂头丧气。

原来有天夜晚，阿憨店里清闲，他就往市郊晃荡，瞥见一家小娱乐厅里人来人往，水泄不通。他掏出十元，买一张入场券，在昏暗的灯光下，只见小屏幕上几个披头散发、妖里妖气的舞女，一边唱歌一边表演脱衣舞……他听人散布歪经：要想富，找黄路。不知不觉，他干起贩卖黄碟片的勾当。

我瞧眼前这位还算厚道的小后生，被卷进黑道生意场，心里挺别扭。不过，人家信赖我，向我亮心底。我便真诚劝告：“阿憨，从哪里跌倒，就从哪里爬起来!”

两年之后，我从阿憨店门前经过，闻到店里飘出一阵阵诱人的清香。嗬，这家伙像猪八戒善变，竟转行餐饮业。

阿憨热情邀我进店尝一碗鸭肉冬粉汤。

我点了一碗鸭肉冬粉汤，再加一盘白斩鸭，味道可口鲜美。阿憨脸上乐开了花，添油加醋道：“阿伯，不瞒你说，咱可抵过二级厨师呢!”

“不赖，往后还得在经营门面和品种上多下工夫！”我当场建议。

阿憨大红脸像煮熟的龙虾，头点得像鸡啄米。

十年过后，我去自选商场购物，耳边传来一阵声音：“阿伯，快进门喝茶咧！”原来是阿憨，他从一家五层小酒楼里探出头，向我频频招手。

“喃，你像孙悟空七十二变，竟经营起小酒楼！”多年不见的阿憨，已变成干练的中年生意人。

阿憨心直口快，无论啥时遇到我，从不敢冷漠怠慢。我们从酒楼大堂直登上五楼，那一个个包间雅室，不时地冒出打扮时髦的靓丽小姐，不停地向阿憨打起招呼：“总经理好！”

“阿憨，你算进了花果山，有这么多仙女迎候，莫再找她们活脱脱表演黄碟片上的镜头哇！”我忽然想起当年他那落汤鸡、苦瓜脸的模样。

“哎，身上旧疤怎能忘啊！糟糠之妻不可弃。再说咱儿子也金榜题名考上大学，往后还想筹建星级酒店呢！”阿憨喜笑颜开，像憨态十足的大佛爷。

闽南海滨人常说：憨汉赶大潮。我面对活灵活现的阿憨，想了很多。

当卑下遇到高尚

〇张丽钧

高考即将来临，一个叫杨扬的外校男生找我来辅导作文。

我对他讲，一篇有内涵的好文章应该包含着作者对自我内心的审视，不要热衷于写“圣诞树”作文，乍一看丰饶热烈，仔细一瞧，没有一样东西是真正属于自己的，“零生命力”成了它的最大特点。

杨扬认真地听，认真地记。末了儿，他对我说：“张老师，有一件事特别折磨我，我跟谁都没说，包括我的父母。可是，我想说给您听听，就算……就算是按照您刚才提的要求，‘对自我内心的审视’吧——

“上星期一，我很早就赶到了学校，传达室的师傅告诉我说有我们班的邮件。我一看，是从北京寄来的。我知道，这是我们以前的班主任给我们寄来的最新高考模拟题。我们班主任是去年调到北京去的。她走之后，我就不再担任班长了，但是，她还是将模拟题寄给了我。我打开那包东西，里面有老师的一封信，说她选寄的这几套题都是往年参加过高考试题命题的专家出的，参考价值极高。我连忙把那几套宝题塞进了书包，我不想在同学面前露这些题了，原因很简单——大家都是竞争对手，在考场上进行的是你死我活的拼争。就这样，我把那几套题独吞了。

“那之后，每天下了晚自习，我匆忙赶回家，躲进自己的小屋里做那些题。那里面有许多新题型，是我们以前从来没有练过的。我做着这些题，心中充满了卑劣的喜悦。我仿佛看见了我的竞争对手们一个个惨败在我手下的样子。不过，说实在话，自从拿到了那几套题，我天天夜里都要失眠，我的内心世界起了巨大的波澜。我跟自己说，你这人，真没劲，就算你真的胜利了，那也不光彩呀，因为，你的胜利是偷来的！你是个贼！无耻的贼！"

"张老师，您看，这就是那些题。"杨扬说着，从书包里掏出了一个牛皮纸信封。我翻看着那些题，发现上面没有留下一点儿墨迹。我问杨扬这是怎么回事，杨扬说："我怎么能直接在那上面做呢！我涂抹了之后还怎么复印呀？"

我问："你复印了给谁看呢？"

杨扬说："当然是给同学们看啦。"

我说："你看，刚才你那么自责，还骂自己是个贼，其实，你心里有一个连你自己都没听清楚的声音，你一定会把这些题拿给同学们去做的。"

杨扬低着头，嗫嚅道："我没有，我很自私，很卑劣，我没有想拿给同学去做。"

我笑了："你有，你是在等一个机会。我觉得，你对自己的内心世界审视得很深刻。知道吗？高尚其实有两种，一种是行为的高尚，一种是意识的高尚。你具备的是后者。你做错了一点儿事，就怀有了深深的罪恶感，你在这罪恶感的折磨下寝不安席，食不甘味。你是一个多么好的孩子！我们学校外有一个承接复印业务的地方，质量好，价格低，要不要我提前帮你联系一下？"

杨扬感激地望着我，用力地点了点头。

高考语文科目考试结束之后，我接到杨扬打来的电话，他无比兴奋地告诉我说："张老师，今年的高考作文题是《出人意料和情理之中》，我拟的题目是《当卑下遇到高尚》，写的就是我差点儿独吞了那几套试卷的故事。我按照您的要求，在叙事中认真审视自我的内心世界，歌颂了像您这样的用妙手将卑下改写为高尚的好老师……"

我举着电话听筒，真心分享着杨扬的快乐。哲人说，一个出色的问题本身就包含着一个同样出色的答案。作为一个出色问题的提出者，杨扬早为自己预备好了一个同样出色的答案；作为一种额外的奖赏，幸运女神格外赏赐给了这个可爱男孩一个无比温柔的眼神……

枣　妹

○刘　渊

这些天，枣妹心里像是抹了蜜一样甜丝丝的——倒不是她家的红枣园又迎来了一个好年成，也不是她被县里授予“红枣种植能手”称号，而是她苦心创办的“丝路明珠风情园”，过几天就要开园迎客了，她心里怎能不溢满巨大的幸福呢。

三年前，刚从职业技术学院园艺专业毕业的枣妹，不想留在乌鲁木齐谋职，更不想像有的女生那样找个有钱的男友嫁人。听说县里正大力推进红枣产业，她就毅然决定回乡当一个红枣种植大户。

枣妹她爹听说上了三年大专的丫头要回乡当一个农民，气得脸色比暴风雨前的天空还要阴沉。枣妹她娘倒挺支持丫头，朗声说：县上提出“要想富，种枣树”，我看丫头的想法不会错。枣妹她爹一看老婆也跟丫头一个鼻孔出气，瞪着眼睛高声大气地说：那好，咱家刚好45亩地，那就划给你娘俩30亩，你们愿种啥种啥，我那15亩还是种棉花。枣妹她爹的想法代表了村里相当一部分人的想法，种棉花当年就能见效益，售价也不错，收入来得更快一些。

驻村的县林业局技术员方正听说这事后，急慌慌地找到枣妹她爹，苦口婆心道：大叔，你不想种红枣是怕赔吧？你听我跟你聊一聊。方正把种红枣的好处说了一大堆，枣妹她爹就是听不进一个字。方正只好无奈地摇摇头。

枣妹送方正出了门，在院外一棵老榆树下站住了。她扑闪着一双水汪汪的眼睛望着方正，湿润着声音说：方技术员，今后你可得多帮我啊！方正是三年前从塔里木大学林果专业毕业的，年龄比枣妹大不了几岁，人显得又帅气又精神。他看着枣妹那一双黑葡萄似的眼睛，一下就愣在那里了——他还是头一次这么近距离地看枣妹。站在他眼前的枣妹，深眼窝，长睫毛，饱满的胸部一颤一颤的，他怔了一下，嘴里干干涩涩地说：哎……那是……

枣妹忍不住笑了一下，她大大方方地握着方正的手，说：反正今后少不了给你添麻烦。瞬间，方正的心全乱了，像有一群野兔子在冲撞着。那一刻，热情淳朴的枣妹定格了，深深地刻印在方正的心坎上。

这年开春，枣妹和她娘的30亩地全种上了红枣，还听了方正的建议，在枣园里搞了枣粮、枣瓜间作；而枣妹她爹那15亩地全种的棉花，他一心想跟丫头比试比试，看谁的收入高。

塔克拉玛干沙漠边缘春季多风。农民种地最怕的就是开春的沙尘暴。沙尘暴一刮，地里的苗全完了。四月中旬，肆虐的沙尘暴果然又刮了个天昏地暗，枣妹她爹刚出土的棉苗一下全毁了。看着满地毁掉的棉花，枣妹她爹顿时瘫坐在地头上，脸灰灰的，直叹气。

枣妹给她爹送饭来到地头，哽着声说了一句：爹，抓紧时间补种还来得及。之后几天，一家人从早忙到黑。枣妹她娘累得直嘟哝：要是种枣树就不会遭这么大的天灾了。枣妹颤着声对娘说：娘，你就少说一句吧，爹已经够难受的了。女儿总是心疼父母的，她打发爹妈先回家，独自一人留下来又干了一阵儿，她头上的白头巾像夜里的星星，在夜空下闪动着星星点点的亮意……

这一年，枣妹种下的红枣当年就挂了果，平均每亩收了20公斤枣，加上间作收入，每亩收入超过1000块。方正一有空，也来帮着枣妹收枣，两人有说有笑的。方正看着枣妹红扑扑的脸蛋，心里热乎乎的，还有一缕缕扯不断理还乱的东西在心里滋长着。他觉得这就是爱情。

过了一年，又过了一年，枣妹她爹见丫头种植的红枣收入越来越高，也把他那15亩地全交给丫头种上了红枣。

枣妹是一个脑子灵光的姑娘，不时总有一些新点子冒出来。她发现近年来古丝路的观光客越来越多，脑子里就冒出了一个想法：把自家的园子搞成风情园。她把这想法给方正一说，立刻得到赞同。方正直盯盯看着枣妹，喜滋滋地说：要是那样，你就大发了。从此枣妹更忙了。随即在院前院后种上了香梨啊苹果啊石榴啊蟠桃啊无花果啊白杏啊什么的，光一条葡萄长廊足足就有100米长。枣妹是这么想的：远来观光的、城里休闲的来到她家，不仅可以睡农家炕，吃农家饭，还可以吃烤肉、尝红枣、品马奶子葡萄，领略丝绸之路的民风民俗，享受人与大自然和谐相处的乐趣……

春去秋来，转眼又是红枣成熟的季节。枣妹筹划已久的“丝路明珠风情园”总算开张了。方正帮枣妹在县电视台打了广告，又邀请了县歌舞团的几位名角来演出助兴。这天，风情园里像赶巴扎（集市）一样热闹，笑盈盈的枣妹一身粉红色套裙，一脸灿烂的阳光，连她自己也不知是在梦里还是梦外了。

过了一会儿，噼里啪啦一串鞭炮炸响，震落了天空的彩霞，还惊起白杨树上的鸟儿扑棱棱乱飞。接着，一曲《红枣之乡小调》从店前的音箱中传出，是那么婉转悠扬——

走进诗里　走进画廊

如诗如画哎我美丽的家乡

丝路明珠勾起多少人畅想

绿洲新城披上七彩的新装

麦西来普舞动那天山彩霞

阿娜尔汗唱圆了一轮月亮

…………

切烟丝的老廖

○吴富明

老廖是故乡翠城里第一个操弄切烟丝这门生意的。

老廖长得像土匪，两眼老鹰似的，高颧骨，瘦脸颊，一副龅牙。他干活儿时眼里的余光总是外射。

切烟丝是小城居民谋生的一个行当。每天一早，老廖就将烟机固定在翠江边的树下，装好烟刀，抹上油，拧紧螺丝。然后，就用白纸卷上自己切的烟丝，靠在躺椅上用力抽一口，随后就从口中飘出一圈雾来。他总是这样开始等他的生意。

顾客拿来烟叶，老廖从躺椅上起来，坐在小板凳上，把烟叶随手翻翻，笑笑说，烟叶不错。说罢就滚烟叶。像卷布匹一样，边滚边喷水，缓缓送进机带中。随着烟刀的咔嚓咔嚓声，烟叶就被切成了丝，像现代机器流水作业中出来的一样精细，然后滑入袋中。顾客说，来，廖师傅卷一口尝尝。老廖哈哈一笑，行，正好就你一个人，尝尝。于是撮了一点烟丝，卷进纸中，用嘴抿一下，封好，划上火柴。老廖边吸边说，这种烟够味，比红霞、水仙好，不过没大前门气派就是，哈……顾客说，那是，咱是平民嘛。老廖说，对对对，我们是平民，不然，谁会去比这种东西，对不？

老廖的生意很好，周围常常围着一大堆观看的人。每切好一家的，他就先用手拈一些闻闻，然后就放在一边，等着顾客来领。不过，老廖的眼神在切烟时总是闪着逼人的光。要知道，这生意场上的事，什么主儿都会有。原本送的不是好烟叶，有人会说是好烟叶。老廖第一次开机就碰到过。现在他精明了，有了招数。烟丝闻过之后，管你什么角儿，都骗不了他。切烟丝赚的是加工费，工钱不多，但老廖因有好手艺，人多了就来钱了。烟丝每提走一次就有人叫老廖“来一口”，此时，老廖总是摆摆手说，没空儿哩。你瞧，人家还等着呢。其实他的那门心思谁都懂。

老廖乐于自己的生意。可是不久后，翠江边摆起了好几家切烟丝的机器，开始和老廖竞争了。老廖的生意受到了些影响。有人对他说，廖师傅呀，你的生意要走到头了，吃独家饭的日子是不会再有了。老廖却哈哈一笑说，好呀，大家都有活计，不正是社会进步的表现嘛。况且，人家也是靠本事吃饭，好事哩。

老廖依然如故，早起摆摊，顺其自然。老廖的生意又开始旺了起来，大家都爱跑到他那里切丝。其他的切丝人生意冷清多了，常有人叹气。老廖对顾客说，你们不要都到我这里来，其他家也可以嘛。顾客说，他们不行，烟丝切得粗粗的，散散碎碎的，还是你这里好。老廖说，怎么会呢，一样的机子呢。老廖终于找了个空闲，到其他切丝人那里聊了聊。大伙儿说，廖师傅，还是你行呀。老廖笑笑说，靠大伙儿呢。说完，老廖就把每个摊位的烟刀看了看，顺手拧下螺丝，摆正了些位置。然后，说，大家试试，生意会好起来的。

果然有顾客说，这几家的切丝都不错，细呢。老廖心里特高兴。因为他的生意比以前更好了，切丝的人还是喜欢到他的摊位来。老廖的一个好友问他，老廖，你帮人家技术，人家却和你竞争，你图个啥？老廖那老鹰眼此时就冒着光说，嘿，你知道什么呢？我帮助他们其实也是帮助我自己。你想，要是他们生意好，这一带人气就会旺，我做不下的生意给他们一点，不正帮了我的忙吗？另外，我这老招牌，人家还是会有比较。生意没比较，顾客就不知道个好坏，懂吗？

老廖真的没说错，江边的树下一带当时已发展成翠城切烟丝汇聚地，切烟丝的行业也持续了多年。后来，据说由于个别烟贩子倒卖烟叶和烟丝，违法乱纪，考虑到切烟丝行业存在的管理漏洞，工商和烟草管理部门勒令他们停业。当时老廖二话没说，就收拾了吃饭家伙。他那时心里总觉得有些惭愧，他曾对朋友说，我切了那么多年烟叶，有多少是给烟丝贩子拿去倒卖了啊，唉……他显得一脸无奈。

后来，一家工厂招聘一名门卫，老廖一面试，厂家说就凭你这张脸，就够格了。

大卫搭车

○刘会然

大卫在省城读大学，专业是机械动力学。由于家乡在一个偏僻的小山村，为了给家里省点车费，大卫整整四年都没有回过家。

现在大学毕业了，也在省城找了一份不错的工作，大卫觉得应该回老家看望含辛茹苦的父母亲了。

大卫从省城坐火车到了家乡所在的县城。几年没有回来，大卫觉得县城漂亮多了，街道宽敞，高楼耸立。道路上车水马龙，人流不息，一片繁忙的景象。虽然县城繁华比省城差得远，但大卫还是为家乡的县城焕然一新感到兴奋与自豪。大卫想，县城变好了，自己家乡的面貌肯定也变得不错了吧?

归心似箭，大卫赶紧来到县客运中心，买了一张去自己家乡的车票。

车很快开了，买票的顾客不多，只有两三位。可车一开出车站，呼啦一下，上来了一大帮人，座位差不多就坐满了。

没过多久，又上来几位小伙子，这时，客车的座位是完完全全坐满了。大卫满以为车子会朝家乡的方向奔去。可是到了市郊，司机却来回在道路上转圈儿，招了一拨拨的乘客上车。坐着的、站着的乘客挤成了一团，像罐头里的鱼。

这下，血气方刚的大卫坐不住了。大卫急忙对司机和售票员说：车辆超载是违法的，更是不安全的!

车主很纳闷儿地看着大卫：怎么会不安全？我每天都这样满满当当的啊！

大卫说，不行，这样做绝对不行，怎么能拿老百姓的生命开玩笑？我是大学生，而且学的是机械动力学，我知道车辆超载的严重危害！

车主说，那咋办？难道要把这些没有座位的人赶下去？再说，他们愿意下去吗？

大卫说，我来试试。

于是大卫很耐心地给站着的乘客说了超载的危害，既讲了理论依据也说了现实危害。说了近半个小时，站着的乘客没有一个人答理大卫，他们都把眼睛朝向窗外。有一个染红头发的小青年说，你说得头头是道，那你把座位让给我，你坐下一班车好了！其他乘客哈哈大笑起来。

大卫说，我下去可以，可这车还是超载啊！

大卫找到车主说，你们必须把没有座位的乘客送下去，你要对乘客的生命负责啊！不然，我就要报警了。

车主说，他们不下去，我也没有办法啊，你报警好了。

大卫在车厢里询问，谁有手机？借给我打个电话，110是免费的。车厢里有人嘀咕着：现在还用这样老套的办法来骗人手机，真可笑。

车上没有一个人愿意把手机借给大卫。

大卫对司机说，没有解决车超载之前，车不能开。说着，他要司机停车，自己下车挡在车的前面，这样车就无法向前开了。

这时，车厢里的人议论开了：怎么回事啊？超载这儿人有什么关系？以前不都是这样吗？谁受到过危害？

有个老大爷拉开车窗劝大卫：小伙子，没事的，我都坐了好些年了，上来吧，还是让司机快点开车走吧。

大卫说，不行，那是你的侥幸，超载是危险的，今天我一定要制止。

染着红发的小青年说，奶奶的，哪里来了个另类？车主，我可是去约会的，我女朋友跑了，你要担当责任的！

车厢里有个抱着小孩的妇女说，我去娘家还要走十来里的山路，得赶紧啊！其他人也跟着说，天气炎热，这么耗下去不是办法……

车主说，那怎么办？

染发小青年说，车主，把钱退给他不就得了。其他的乘客说，对啊，把钱退给他，叫他滚开！

没有办法，为了照顾大伙儿，车主只好把钱退给了大卫。

无奈，退了票的大卫只好让开。载着一车厢对大卫的愤怒，车子急速离去。大卫只好在原地等下一班车的到来。

一个小时后，大卫上车了；半个小时后，大卫又下车了。

一个小时后，大卫上车了；半个小时后，大卫又下车了……

四家春

○朱绍华

都年二十九了，我这个小老板还是一大早就被堵在了家里。谁呀？我的老冤家——广告公司的赵老板。你别看这家伙一身肥肉，一副肉头相，我可算服了他了。任我怎么哭穷，怎么解释，他老兄油盐不进，你走一步他跟一步，不气不恼，一副死猪不怕开水烫的样子。

我冷着脸说："明天就要过年了，我实在没着儿了，你没有一万五会死呀?"

赵胖子挤进屋，苦笑着说："朱老板，我不拿到这笔钱，这年根本没法过，省城的张总就派人等在我家里，我欠人家的材料费，不给人家，人家叫我老少都不安宁。"

我说："可我现在实在没有钱呀，我要是有钱哪个王八蛋不给你!"

赵胖子还是那样笑着，说："这我知道，可是你得要账，你那些账不要，谁还能给你送上门?"

我想了想，也是。省城刘大头欠的账，早就该给我了，现在也不知道跑到哪里了。我就说："要不，我现在就到省城去，你等我回来，要来了就给你。"

我本想甩开他，谁知他说："那我跟你去，有了钱我在那里就还欠张总的账，反正家里我也没法回去。"

我那个气呀，真想扇自己几个嘴巴，就赌气地说："好，好！我俩一起去！不过，要不到你不要再缠着我了。”

赵胖子连声说：“着，着，着！”

没有办法，我只好带着赵胖子上路了。到了省城，已是下午三点。我没敢提前打电话约刘大头，因为这时候你要打电话约他要钱，就等于提前通知他“逃跑”，这个刘大头，滑得像鲶鱼。一下车，我就和赵胖子直奔他的“公司”——也是家，想给刘大头来个突然袭击。谁知还是扑空了——铁将军把门。我朝赵胖子冷笑，赵胖子也是一脸的无奈。我们俩一合计，决定就在刘大头家门口守候。

等了两个多小时，眼看天色已晚，赵胖子急了，说：“朱老板，在这儿干等着也不是办法，你还是给他打个电话吧。也别说我们在省城，看他在哪里？”

我只好从命，拨通了刘大头的手机。响了半天，那边刘大头总算接腔了，声音热情如火：“哎呀是朱老板啊！你是讲那笔账的事吧？早给你准备好了，可我现在忙得很，回不去家呀，等过了年我就给你送去。年货办齐了吧？”

我不想听他那一套，没好气地问：“你现在在哪儿呢？”

那边刘大头精神头儿十足地说：“我呀？我在东北哈尔滨呢，来这儿签一笔大业务，他们要我十万件游泳裤。正在这儿验货呢，恐怕过年也回不去了。”

我气不打一处来：“寒冬腊月，你到东北送游泳裤？你当东北人都是北极熊？”

我“啪”地关上手机，看着赵胖子，说：“怎么弄？”

赵胖子几乎要哭了，愣了半天才说：“现在回去也没车了，好歹我俩得找个地方住一夜呀。”

我叹口气，只好和赵胖子在大街上转悠。看看宾馆，住不起，住小旅社，又怕不安全。赵胖子说：“我俩干脆洗桑拿浴吧，又能洗澡又能睡觉，还暖和，也不贵！”

也不知找了多少家，最后找了一家最便宜的，连洗澡带睡觉，一人十块钱。服务生说：“其他包厢都让老板们住上了，还有一间四人的，二位要不嫌，就跟我来吧！”

跟着服务生来到浴场的一个包厢前，服务生敲门后门开了，原来包厢里已住上两个人。一个穿着裤衩的瘦高个儿见有人来起了身，我一看怎么这么面熟？咦，刘大头？

刘大头也认出了我，脸涨得通红，尴尬地笑了：“是……是朱老板？怎么这么巧？”

我嘲讽地说道：“刘老板，怎么这么快就从哈尔滨回来了？是坐的‘飞毛腿’，还是‘神舟六号’？”

刘大头脸更红了，起身忙过来递烟，难为情地笑着。里面床上还有一个人，是个矮胖子。那矮胖子也睁开眼看着我们，看到赵胖子眼直了。赵胖子也看到了那人，回身就走。矮胖子动作十分麻利，翻身下床紧跑几步抓住了赵胖子：“好你个赵胖子！真是‘踏破铁鞋无觅处，得来全不费工夫。’你小子送上门了。还钱吧！”

赵胖子看着我哭丧着脸说：“这就是张总，你看怎么弄吧？”

我把目光转向刘大头，说：“刘老板，你看我被赵老板追到这里要钱，你那笔账怎么弄？”

刘大头不住地叹气，看着张总还抓着赵胖子，就虎着脸说：“你横什么？你欠我的钱怎么弄？”

怎么弄？我们几个你看看我，我看看你，恰似“酒令”上的“杠子老虎”，都是欠债者又都是债主。

这下，包括张总在内都火不起来了。我们几个人恼一气，吵一气，最后又都笑了。刘大头说：“我们四个人别讲二话了，都是难兄难弟，都别追了，我们就在这儿过个年吧！也好商议商议来年怎么干，明年说啥也不能这样过了！”

刘大头的话得到大家的一致通过。张总和刘大头说我俩是客，不让我俩掏钱。他俩掏干了腰才凑了200块钱。刘大头叫来了服务生，说：“去，就照这200块钱，让饭店给我们送些酒菜来！”

服务生看看我们，不解地说：“怎么？明天就是年三十了，你们不回家过年了？”

张总端起了老板架子，大声对服务生说：“你没看见我们在谈业务吗？我们就在这儿过年！还买盘炮，炸炸今年的晦气！”

贾教授听戏

〇奚同发

有一天，我意外地看到，我们小区被大家公认是最有文化的贾教授接连几天晚饭后出现在小区大门前的广场，陶醉般倾听着一对残疾男女对唱的南方小调。

没有人注意到这对残疾男女是哪一天来的，在那儿已表演了几天。小区的许多人像我一样，注意到他们，是因为发现贾教授感情起伏地倾听的样子。我们从来没见过，一向刻板严谨，连微笑都是“意思意思”的职业性的老教授，因为听戏就现了原形。原来他也有喜形于色的时候，原来他也有难过悲伤的表情，原来他也有忘记身份以掌击腿而大呼“好”字、导致已谢了顶不多的几缕头发也纷乱起来的时候……于是，许多人加入到每晚的听众当中，主要是因为对贾教授的兴趣而产生了对男女表演者的兴趣。

演唱的男女三十多岁的样子，都没了双腿，男人留存的截肢更长一些。他们像许多外出谋生的人一样，风尘仆仆，但不同的是，衣着很洁净。他们的皮肤虽然呈现出那种饱经风霜的古铜色，但男的眉清目秀，女的小巧精致，一看就是典型的南方人。两人都是坐在小推车上，是那种可以被别人推、也可以自己用双手转动手柄前行的专用小车。他们唱的南方戏曲，我一句也听不明白。小区里这么多人听，恐怕能真正听懂的并不多。于是大家总会时不时地把目光投向贾教授。

贾教授坐在自带的小马扎上，表情凝重得不得了，哪像在轻松地听戏。比他晚来的这对男女慢慢地摇着小车，男的一边摇自己的车，一边还在小区前那个为了让行车减速的两三厘米高的橡胶路障前，赶紧腾出另一只手去推女人的小车。小区的人们后来说起，都是因此而觉察到这个路障的存在。这时的贾教授还是我们常见的贾教授，不言不语，安静地观看着这两个人慢慢地摆正车位，从车后的盒子里拿出一个个演出的乐器，弦乐器是一种说不上来的琴，打击乐器是几个大小不一的鼓。

转轴定弦调琴之后，鼓点一响，男女很快柔声软语地进入对唱。两人的表情很丰富，可以看出很入戏。这时侧看贾教授，一副如痴如醉的样子，或轻咬下唇，或若有所思，甚至有时会随着小曲的拖音而闭目摇头晃脑。一曲终了，贾教授一定是最先叫好鼓掌。虽然也有一次是人家还没唱完，只是声低如丝的一种过度，但贾教授的掌声还是带动了全场的掌声。接下来，贾教授就把自己准备的一元硬币投几枚在演唱者面前的饭盒里，丁丁当当很是悦耳。演唱者便点头致谢。不少旁观者也纷纷效仿，立刻形成大珠小珠落玉盘的热闹……

从来没有一次能够耐着性子听完戏的我，或许已真的患了那种“倾听”钝化的职业病。几天后采访一个学术研讨会时，遇到贾教授，我禁不住好奇地问，那两人到底唱的是什么？

教授说：“我也听不懂，但曲子很委婉好听。最主要的是，我可以这样帮他们，而不让他们感到自己是被施舍的。他们因为自己的劳动收获而感到欣慰，感到心安。他们是一对夫妻。结婚时，男的曾答应要带女的周游全国。可是很不幸，遭遇车祸双双致残。丈夫不愿意食言，只好如此完成自己最美好的心愿。我想帮助他们，而这种认真倾听的方式才是最好的。”

我半天无语……

那天傍晚，我与报社的摄影记者早早就等待在小区门前，可是没能等到那对残疾男女，贾教授也没出现。

那就结婚吧

○莱　莱

季莫如是典型的“白骨精”（白领+骨干+精英），而且还是有天使面容魔鬼身材的那种钻石级别的“白骨精”。走在人群中回头率最高的是她，Party上最令人瞩目的焦点也是她，裙下之臣数不胜数。可季莫如不想结婚。用她的话来说就是：“玩玩恋爱的游戏吧！”

也不是真恋爱，打打网球、听听音乐、看看戏、吃吃饭又有什么所谓呢？都市中人，谁还没有几个关系有点模糊的异性朋友？季莫如不过是想趁着年轻好好享受青春，也顺便检验一下谁才是她的Mr. Right。

转眼几年过去，季莫如30岁了。大浪淘沙，和季莫如肌肤上的水分一同失去的还有个曾经发誓非她不娶的男士。

情人节时一向被玫瑰环绕的她居然只收到了两束小小的玫瑰和一个客户送的百合，邻座那个新来的MM却收到了至少6束玫瑰。老实说，邻座MM远没有季莫如漂亮，但人家胜在年轻。季莫如心里有点酸溜溜的。

有一天，下班回家，台风来了，季莫如没有拿伞，被淋成落汤鸡，打车又死活打不到。季莫如终于挤上一辆公共汽车，看着外面如瀑的大雨和仓皇奔走的人，季莫如心中一片凄凉。回到家，头痛欲裂，挣扎着洗了热水澡，用被子紧紧裹住自己，想倒杯水喝却没有气力。

门铃响了，季莫如哆嗦着把门打开一看，是小唐。小唐是她所有追求者中坚持最久却最不出色的一个。不高不帅也没有什么钱，在一家电脑公司做软件设计而已。人总是温温吞吞的，除了临时坏了电脑要急修外，季莫如很少赴他的约。小唐说：“我刚才坐车时，看见一个身影挺像你的，过来看看，别淋了雨，感冒了可不好。”

小唐让季莫如躺下，动手给她找药喂药。他轻轻吹着杯子里的水，没有用嘴巴试而是滴了一些在手上，那小心谨慎唯恐唐突了季莫如却又关怀备至的样子，让季莫如心中突然一动。

季莫如和小唐交往，没有以前设想的天雷勾地火，却在闲闲散散中有说不出的熨帖，季莫如想，这到底是不是爱情呢？

秋天，单位体检，季莫如突然被查出有子宫肌瘤。小唐偏偏出差了。季莫如开始想念小唐，牵肠挂肚地想。

几天后小唐风尘仆仆地来了，小唐说：“我们结婚吧。”季莫如心中百感交集。她很严肃地拿出一份检验报告说：“医生说是恶性……”小唐还是微笑着坚持说：“我们结婚吧。”季莫如明白过来，泪流满面，突然又笑了，说：“我骗你呢，是良性。那……那就结婚吧。”

高架线下的家

○冷　暖

今年的春天似乎比往年来得迟，早就不是下雪的季节了，可现在大雪仍在漫天飞舞。

人们说南极冰川都开始融化了，我们就想着以后气温该一年比一年高了。

这鬼天气咋还这么冷？我恼恨地想。

四周是白茫茫一片，风一阵猛似一阵，寒冷的日子什么时候是个头啊。

睡梦中，孩子们挪着瘦弱的身子，拼命往我身边挤。我将自己的两扇翅膀努力摊开，尽量遮掩住它们，可还是不管用，它们冻得瑟瑟发抖。

“妈妈，我们为什么要把家安在高架电线下？”小儿子被冻醒了，从我的翅膀下探出头来，它的脸红红的。

“那是因为住得高，可以看到更远的地方。”我的心里一阵发酸。

“可是，妈妈不是说过，高处不胜寒吗？”这时大儿子也醒了，打着哈欠。

我有点无奈，只好实话实说：“孩子，你看看，这个世界到处都在搞开发，人们都在嚷着城市化呢，我们可以安身的地方越来越小了。”

顺着灯光望过去，四周到处是忙忙碌碌的吊车和推土机的身影，夹杂着机器重重的喘息声。这么冷的天气也阻止不了人们开发的热情。

“妈妈，你小时候世界也是这样吗？”小儿子歪着小脑袋，天真地望着我。

我用手轻轻地暖着它冰冷的小脸：“妈妈小的时候啊，这里是村庄，村庄周围都是树木，有柳树、槐树、桑树、榆树，现在这些树你们都看不到了。你们还能看到的那些小树，名字叫杨树。”

我小时候的家在柳树上，那柳树立在一处院落里，一到春天，柳树柔柔的枝条随风舞动，早晨暖暖的阳光照在我们的羽毛上，舒服极了，空气中到处弥漫着醉人的芳香。那时候，我的大叔一家住在一株大槐树上，舅舅家在杨树上……热闹得很，那时就是再漫长的冬季我们也不会觉得寒冷。

我刚出生没几天还经历过一次甜蜜的危险呢。院子的小主人趁我爸爸妈妈不在家，爬上树把我给“抓”了下来。那时候我害怕极了，没想到他只是想看我一眼，过了一会儿就把我安全地送回家中。我看到了焦急的爸爸妈妈眼睛里闪烁着温暖的泪光……

后来，随着推土机的一声声轰鸣，主人家被拆迁了，我的家伴着大树倒下的瞬间化为乌有。渐渐地，那村庄和树都不在了，我们的亲戚和邻居们都仿佛从这个世界上蒸发了，不知它们现在流浪到了什么地方……说到这儿，我的眼睛湿润了。孩子们入神地听我讲述那些过去的故事，眼睛和我一样是潮潮的。

不经意间，人们穿的衣服越来越光鲜，住的楼房越来越高大。我们以前住的地方竖起了一排排大烟囱，冒出来的烟雾慢慢地将天空染成灰暗，天空已见不到过去的一碧如洗和深不可测的蔚蓝。一个个现代化小区把树木们慢慢地挤压到越来越遥远的边缘。

“那我们为什么不搬到更远的地方？”小儿子又向我身边挤了挤。

这年头，人们一窝蜂地在搞开发、搞建设，到处都在拆迁。我不是没有动过搬家的念头，究竟哪里是安乐窝，哪里是我们可以安身的地方，我也搞不清楚，毕竟这个世界变化越来越快了，让我们不明白的东西也越来越多了。

可孩子们哪里明白，就是我在这高架电线下选择的一小块安身之所，如今都难以找到了。正想着心事，忽然周围一阵响动，孩子们紧张地望着我，抖成一团。

我伸出头去，原来是人们正在把去年春天刚栽的树连根拔起，八成是想开发这块地皮，要么就是打算换栽其他的树了，听说这里的县长又换了。这么大的风雪丝毫阻挡不了人们的热情。唉，前几天我还盘算着过一段日子选一棵大点的树，把家安在上面呢，也好让孩子们享受一下阳光下的绿荫生活。

一阵风吹来，我觉得一颗晶莹的东西从我的眼睛里滑落，我下意识地将孩子们搂紧。不远处的树又倒下了一棵……

在泪光中，我忽然想到，明天，我们的家园又会怎样呢?

向　果

○伍中正

向果落榜了。

向果从县城赶回村里，村庄在他眼里开始模糊，天放肆地黑了，低矮的屋前，向果像一棵树站在门外不肯进屋。

星光天，向果娘睡不着，起身开门，看见向果，说，回来了也不进来？向果进屋说了一句：我要出去打工。

向果娘不依：外面的世界也不好闯，等些日子再作打算。

向果留在了村里。他把苦水咽在肚里，一个理由是为了娘，再一个理由是为了叶小开。

叶小开像一只飞来飞去的蝴蝶，看不到她的时候，她化了妆就在城里做事，看到她的时候，她在村里，也在向果的眼里。

梅花塘是向果家的。整个夏天，向果没去别的地方，就在家里。塘里盛开美丽的荷花，每一朵荷花有如叶小开光洁的脸。

向果就在梅花塘边走着。

叶小开坐在塘边，一袭白裙，就像一朵盛开的荷花。

向果！叶小开大声地喊，那声音极响亮，很多荷花张着的耳朵都听见了，向果从容地停下脚步，一点也不慌张。

叶小开的眼里只有向果，站着的向果很耐看。耐看的向果就让她看。

向果像荷花一样地笑了一下，就走回家了。直到天黑，叶小开还坐在塘边。叶小开走的时候，小声地说了一句：向果，我爱你。

晨风吹过，向果娘坐在晨风里提醒向果，你跟叶小开在一起的场面娘看见了。你跟了叶小开，是你的福气，主意你自己拿。

向果变了脸色，说，我不要跟叶小开在一起，她的心不单纯。

向果娘坚持自己的想法，有些事不像你向果想的那么简单，她不单纯你单纯？

向果让娘说得低下了头。

村庄里热，向果的棉地里更热。

向果在宽阔的棉地摘着棉花，一朵一朵柔软的棉花从棉树上回到他的篓子里。

叶小开来了，她快速地走进了棉地。向果和叶小开浑身是汗，那一地棉树遮没了向果和叶小开的身影。

叶小开抱着向果，向果就有点疯了。叶小开看看天，天上的朵朵白云就像一大团棉花。

向果和叶小开出来的时候，浑身是汗。向果从篓子里抓出几朵棉花擦了擦叶小开脸上的汗。

叶小开幸福地让他轻轻地擦着……

秋天里，叶小开回味着向果擦汗的动作，她拿出在城里赚回来的钱给向果买了摩托车。

冬天里，叶小开回味着向果擦汗的动作，她拿出在城里赚回来的钱，给向果买了羊皮大衣。

春天里，叶小开回味着向果擦汗的动作，她脚步轻盈地走进了向果低矮的家门。

看着这一切，向果娘脸上的笑容像梅花塘曾经盛开的荷花。

向果娘说，叶小开给你幸福，你要好好爱她。向果低着头不说话。

在村里，向果办了红薯粉厂。

办了厂，向果对娘说，往后睡屋里的日子就少了。

向果娘说，好好地待你的叶小开，睡不睡屋里没事的。

向果再没说啥，不声不响地卷了铺盖，不声不响地就去了厂里。

向果娘出门，就有人对她说，你家向果真有福气，一肚子学问，认得了叶小开，办厂发财了，县里领导都来视察，还上了电视。向果娘一听就高兴。

还有人说，你家向果的厂办在村子里，这村里的红薯，他不能挑剔着要。向果娘一听，说，我得提醒提醒。

向果娘进到向果的厂里。向果正好在车间里出粉。粉出来，冒着热气。向果娘说，娘给你说个事。向果停了出粉，说：娘，你说。

向果娘话到嘴边又咽回去。

向果说，娘有啥事就说。

向果娘说，向果，你不能不要村里人的红薯，那可是上等的红薯，个儿大味儿好，没得说。

向果说，叶小开的厂子里，不要红薯，她做的是假红薯粉。

向果娘说，都是叶小开的主意？

向果说，还没结婚前，她就想着要做。我说，你要做，我就不结婚。她又说，只要我结婚，她就不做了。

咋又做了？向果娘疑惑。

向果说，她说向家是她扶起来的，不听她的，她就不扶了。

向果娘说，向果，叶小开她会害了你。离婚，咱不稀罕她的摩托车，咱也不稀罕她的羊皮大衣，她迟早会害了你。向果说，我都成县里的民营企业家了，还能闹离婚？

向果娘下跪，说，向果，人不能昧着良心做事，她要跟你长久在一起，她会害更多的人。

向果双手扶起娘，很久，向果说，娘，就是死，也不做假红薯粉了。

迂回曲折拉锯战

○林　蔚

“为什么不拒绝呢?”阿紫打断了小朵絮絮叨叨的抱怨。小朵一愣，磕磕巴巴道：“可到底是朋友啊，不太好意思……”

让小朵头疼不已的，是一位多年不见的老同学的来电。

几天前，小朵接到一个陌生电话。“哪位?”“真是贵人啊，连我的声音都听不出来了……”小朵思索片刻，想起来是四五年没有联系的一个老同学。

老同学热情地问候了一下小朵的近况，随即抱怨小朵这些年只顾工作：“逢年过节也不发个短信，几次打电话到你家都没有人接呢。”小朵虽不记得收过对方的短信或留言，但被这么一说，也立马觉得疏于联络都是自己不对似的。一番深情怀旧后，两人约定以后要多联系，经常吃个饭逛个街什么的。毕竟，同在一座城市挺不容易的。

寒暄至此，老同学清了清嗓子：“哎，亲爱的，我正巧有个事儿找你呢。”“什么呀?”小朵欢快的声调还在延续。

“哎，就是我男朋友嘛，他要给日本客户做批东西，但说明书是日文的呀，想起来正巧你学日文的，帮他看看呀。”

小朵的满腔喜悦迅速降温了，不禁撇撇嘴，真是“巧”啊，但语气上还是温和客气的：“产品说明书这种东西很专业的，要翻译公司做比较好吧。”

老同学立刻摆出很信任的样子："噢，我不需要做得很专业的，你只要把大体意思告诉我就可以了，都是图片，没多少东西的。"

第一个回合婉拒失败，小朵只好另寻良策。说实在的，她并不是不愿意帮忙，但专业类说明书的翻译，确实不是个简单的活儿，更何况这阵子小朵手头上的工作又多，她已经连续开了三天夜车了。

小朵继续尽量婉拒："可我这两天都要交报告呢。你还是问问其他人吧，可别耽误了你男朋友的事儿。"

老同学非常体谅地说："没关系，你先忙你的，我这个不着急，你有空的时候再弄。"

第二个回合败下阵来，小朵一脸的不情愿，却想不出继续拒绝的理由。老同学重申："我先把资料发给你看看，放心吧，基本是图片，没多少内容，你就说个大概意思，不用那么精确的。"

"不"字早在小朵心里"蠢蠢欲动"了良久，却始终没能说出口。刚刚还那么亲密地叙旧，这时候怎么好意思拉下脸来不客气地拒绝呢。"好吧，你先发邮件来看看吧。"小朵知道，所谓"看看"，就是答应的意思。

那邮件差点儿没把小朵给气死。22 页的 PPT，满纸的专业词汇，有些词小朵连其中夹杂的中文都不太明白。周末两天，她就埋头在"峰值"、"回路"、"额定"中，查找各种资料，斟酌翻译文字。

一边翻译一边生怨气。什么"没多少内容"，什么"说个大概意思"，这种专业说明书的翻译是可以随便应付的吗？小朵后悔自己太好说话，当初要坚定地拒绝了，就不用遭这种罪了。

所以在 MSN 上遇到阿紫，小朵的怨气就像找到了发泄口，絮絮叨叨地抱怨起来。

阿紫说："好过分，公司的事情为什么要辛苦你做义工呢，马上回绝她！"

小朵苦笑，阿紫是局外人，说话当然不费力气，可自己现在要拒绝了，多尴尬啊，要伤和气的。

阿紫说："不情愿就说嘛，你呀耳根软，答应下来自己又烦躁，何苦呢？你忘了那个寄宿的小孩了吗？"小朵想起好友的那个外甥女来。

好友来电，说外甥女要来上海工作，人生地不熟的，能不能先在你家寄宿两天。小朵想一来是好友托付，二来小女生也不容易，就答应了。

小女生虽然很有些自我，比如随意地用小朵的笔记本上网打游戏，回家就看电视等着小朵做饭等等，但还算是乖的。小朵想，不过是暂住几天，也就算了。没想到一个月了，小女生丝毫都没有租房搬家的意思。

有一天小朵终于忍不住问："有没有看到合意的出租房呢?"

小女生撅着嘴："上海的房子好贵哦，条件又差，500块一个月还是合租呢。"

小朵吓了一跳，赶紧给好友打电话："小朋友大概是被娇宠惯的，不知道异地打拼的艰难吧。"好友抱歉："真不好意思，我一会儿给她洗脑，你再收容她几天好吗?"

小朵自然不好拒绝，有时小女生也板着脸过来说会再找找看。小朵反而有些不好意思了，心想自己是不是太严厉了些。

可这一找就是将近一个月，其间女友几次打电话说抱歉，小女生却始终没找到"合适房子"。望穿秋水的小朵采纳了女友们的建议，硬着头皮拉下脸，以父母来沪为借口，终于让小女生找了出租房搬出去了。

小朵跟阿紫叹气："唉，当初也是不好回绝嘛。现在学乖了。"

叹气归叹气。在MSN上发泄完了，小朵就赶紧下线，埋头在含混晦涩的专业词汇中，继续忙她很不情愿的翻译任务。

索　字

○邢　珂

我并不知道副市长要来我们局里调研。那天上班之后，我看没什么事情，就开始练毛笔字。说得好听一点，就是练书法。在我们局里，没有人喜欢书法，就我喜欢划拉几笔。结果却是，“山中无老虎，猴子称大王”。人家都叫我“书法家”，纷纷向我索字。在我们全局上下，包括局长在内，几乎人人手里都有我的破字。有的人，还正儿八经地到装裱店里去装裱好，拿回来挂在办公室的墙上。我看到之后，既高兴，又有点不好意思。我心里清楚，我离真正的书法家，起码还有八丈七尺六寸半的距离。

我正练字，有人进来说，副市长来咱局调研了。我就想，副市长来调研，肯定是找局里的领导们，最多叫办公室主任参加，送茶倒水，作个记录什么的。我这副主任，根本没资格参加。我就抱着事不关己、高高挂起的态度，专心练我的字。谁知这位副市长还怪认真的，他同局领导们谈过之后，又想到各个科室里看看。结果，就来到了我的办公室。我正在写字，副市长一进门，局长就介绍说，这是我们的书法家，办公室副主任，叫祝新康。副市长马上和蔼可亲地笑着伸出手来跟我握手。我受宠若惊，赶快放下手中的毛笔，把手在腰上蹭蹭，双手恭敬地捧住副市长的手，既不敢太用劲，又怕捧得不牢稳。这时局长说，我们局里，人人都有他的字。你给市长也写一幅。副市长立马笑着说，对，请给我也写一幅。我忙说，不行，不行，我写不好。副市长却笑容可掬地看着我说，你别客气，给我写一幅。我一看那阵势，不写是不行了。但在那种情况下，我是写不好的。于是，我笑着对副市长说，现在写不成，等过几天，我写好了给市长送去。局长也跟着说，对对，你写一幅好的，亲自给市长送去。我又看着副市长问，写什么内容呢？副市长仍然笑着说，什么都行，就写你最拿手的。

为了副市长这幅字，我可没少费心思。首先是内容，我真不知道该写什么内容好，最后还是请示了局长，才确定下来。接着就是练，我一遍一遍地练，直到我自己感到满意为止。最后是装裱，我跑了四五个地方，选了一家最好的装裱店，千叮咛，万嘱咐，一定要装裱出最好的水平。

我去取字的时候，打开一看，装裱得确实不错，既平展，又协调，与原字幅形成一个完美的整体，有一种和谐的美。我高高兴兴地付了钱，拿上装裱好的字，直奔副市长的办公室。正好副市长在办公室，我敲敲门进去，兴奋地喊道，市长，您好，我给您送字来了。副市长正在看文件，听到我的声音，抬起头来，眯缝着眼问，你是哪单位的？叫什么名？我赶快报上我的单位和姓名，并笑着说，您要的字，我给您写好了，装裱得也不错。副市长却看了看我，莫名其妙地问，我向你要过字吗？

十七岁的天空

〇蒙福森

廖小远从网吧出来，强烈的太阳光刺激着他的眼睛。他定了定神，走到街上。

正是中午下班时候，街上的车辆行人密密麻麻的。街道两旁是整齐的蝴蝶树，阳光透过树叶，投下斑驳的影子，淡紫色的花瓣落满地上，暗香袭人。

廖小远百无聊赖地走着，心里烦着两个问题：一是他无心向学，成绩极差，昨天他又没有上学，老师打电话到家，他被父亲大骂一顿，就跑了出来；二是他写了一张字条给班里的吴敏丽，但她一点儿反应都没有。

他从高一起就一直暗恋着吴敏丽，每逢见她，就仿佛有一头小鹿在心里怦怦乱撞。她长得美，成绩又好……廖小远正在想心事，突然一个人快速跑过来，狠狠地撞了一下他的肩膀，他打了一个趔趄，险些跌倒。那个人跑过去了。他摸摸肩膀，感觉疼。妈的！一股无名火“腾”地升起，心情本来就不好，又被人无缘无故地撞了一下，连道歉都没有。在家，在学校，他是小霸王，谁不让他三分？再看看跑过去的那个人：黑瘦，矮小，他更不服气了，立即追去。他要追上他，然后狠狠教训一下他，踢他几脚，打他几拳，消消气。

廖小远跑得飞快，耳边是“呼呼”的风声。那小子在前面跑，他在后面追。街道人多，但仿佛经过训练和有人指挥一样，都纷纷向两边闪，让出一条宽阔的道路来。

那小子跑得快，廖小远跑得更快，他只有一个念头：抓住他！教训他！

近了，近了，更近了！廖小远伸手一抓，想抓住他的衣服，但被他一甩手臂，没抓住。想再抓，那小子突然拔出一把锋利的小刀来，晃了几晃，把廖小远的手臂划了一个口子，殷红的鲜血顿时流出来，廖小远感觉一阵火辣辣的疼。那小子乘机转身跑进一条小巷。廖小远更加愤怒，穷追不舍，像参加学校的5000米长跑，不达目的誓不罢休。

那小子跑了几条小巷，跑着跑着，终于体力不支，瘫软在地，气喘吁吁。廖小远走过去，骂道："你……你……你小子跑，看你跑……你还跑吗?"抓住他的头发，用力揪了几下，打了他几拳，又踢了他好几脚。他一点儿反抗的力气都没有，任凭踢打。

廖小远出了一口恶气，正要离开时，两个人追上来了，一来到，立即拿出手铐，"咔嚓"一声，把那小子铐住了。

原来他们是警察。他们也追得上气不接下气的。

接着一个老板模样的人也满身大汗赶到了。警察把一个包递给他，说你打开看看，够不够数。

廖小远这时才发现还有一个包。那人把包打开时，廖小远顿时目瞪口呆：里面是大捆大捆的钞票！

警察看见廖小远的带血手臂，伸出手来，握着廖小远的手说："年轻人，你受伤了。谢谢你的见义勇为……"警察告诉他，那小子是抢包贼，在银行门口抢了包就跑，没想到栽在廖小远手里了。

…………

星期一，学校操场上，全体师生集合。校长用洪亮的声音宣读感谢信。然后，廖小远庄严地从警察手中接过"见义勇为"证书和500元奖金，下面是一阵热烈而持久的掌声。十七岁的他第一次获得了这样的掌声。在他的记忆中，只有责骂和批评。

掌声中，廖小远抬起头来，仰望天空，天空明净高远，碧空万里；掌声中，廖小远的眼睛慢慢地湿润了……

我不是你的奴隶

〇汝荣兴

我不是你的奴隶！

我很想对老板这样说，义愤填膺又正气凛然地这样对老板说，然后就一走了之。

但我到底没有这样对老板说，因为我还不能一走了之，因为——因为我这一年来的血汗钱还都在老板手里攥着呢。

从表面看，我那老板倒也长得人模人样的。想当初，我选择到他那儿而不是别人那儿打工，很重要的一个原因，就是他看上去挺和善的。我想，给这样一个看上去挺和善的老板打工，应该是一件至少不会叫我后悔的事情吧。但我显然是想错了。这一年来，这个看上去挺和善的老板的苛刻甚至是残忍，实在是叫我和我的工友们太忍无可忍了——譬如，他几乎天天要我们在干了十二小时的活的基础上再加班，却又绝不给哪怕是一分钱的加班工资，而他所谓的理由，则常常是毫无理由地硬说我们在那十二小时中并没把活干好；又譬如，他规定我们每天上班时间内的大小便不能超过三次，而且，每次从离开工地到回到工地的时间又不能超过三分钟，否则就要扣掉差不多是一天的工资……

更可恶的，是他在用一副和善的面相将我和我的工友们骗进他的工地后，先是用一拖再拖的办法，然后就干脆作了这样的宣布：所有人的工资都要到第二年才发放，而且还是第二年做了满一个月之后！

这样，虽然我和我的工友们都很清楚他这是在不拿我们当人看，同时都十分的气愤，可我们又都毫无办法——你想想，我们是谁呀？我们不过是一群除了有的是力气之外，别的便一无所有的打工仔和打工妹呢！

是的……不，我是已决意要离开这个鬼地方的了。

但我又必须在走之前拿到我的那些血汗钱。所以……所以，在想了又想之后，我便不得不决定去讨好老板——我就在平时对老板“老板长老板短”地叫个不停，特别是在看到老板非常宝贝他那三岁的女儿后，我便在他女儿身上下了不少的功夫，不是一有空就去抱抱她，就是……

终于，到了年底放假前的那天晚上，老板将我单独叫进了他的办公室，很是爽快地把这一年的工资全部给了我，同时，他还满脸堆着笑意，用很是信任的口气告诉我：小杨呀，我这可是只给你一个人发了工资呢，记住，明年你早点来，我还要让你做领班，而且还会给你加工资……

暗自掂量着手里那好不容易得来的一年的血汗钱，我只差一点儿要流出眼泪来。当然，我是绝不会去感激老板的。我得到的，只是我应该得到的。而且，我很清楚老板之所以“信任”我，完全是想要利用我，想要……

所以，此时此刻，在已经将自己的血汗钱紧紧地攥在了自己的手中之后，我便很是义愤填膺又正气凛然地这样告诉老板道：不，我永远都不会再到你这儿来了，因为我不是你的奴隶！

然后，我就昂首挺胸地走出了老板的办公室。

一只螃蟹六只脚

〇争　游

道边村一白捏的面花是很出名的，一块面团在她的手中可长可短、可圆可扁、可粗可细，随意捏弄几下就成了天上的鸟儿、水中的鱼儿、开放的花儿……形象逼真、栩栩如生，人们称她是面塑艺术家。

一白的曾祖母会捏面花，一白的姑奶奶会捏面花，一代传一代。一白捏面花的手艺就是跟着她们学的。遇着村上有娶媳妇、嫁闺女、盖新房的，曾祖母、姑奶奶就被人请去蒸大馍。大馍又称枣糕，满锅的一个箅子上就蒸一个枣糕。下面用一层和好的面垫底，中间铺满一层煮熟的红枣，上面再放一层和好的面。在枣糕的周围和上面要捏一些面花，待枣糕出锅后，要在上面插一些涂着颜色的蜜蜂、蝴蝶、蛤蟆、莲花、牡丹等的造型，组成一个突出主题的图案，如“龙凤呈祥”“太子坐莲”等，图的是一个喜庆吉祥。

一白心灵手巧，常跟在曾祖母、姑奶奶身后，手握着一块面团揉来揉去，左捏右捏，时间一长，也就捏出了一些有模有样的花鸟虫鱼。

一白长大后就走出了道边村，去读中学、读师范，后来做了教师。曾祖母、姑奶奶先后去世，家传的捏面花手艺也因为“文化大革命”被当做“封、资、修”的尾巴给割了，失传了。但是，曾祖母、姑奶奶捏面花的场景却在一白的心里留下了抹之不去的记忆。趁着做饭蒸馍的时间，她常会把一块面团捏成老虎、兔子、小猪等造型，蒸熟后送给儿子女儿。儿子女儿把乖巧的小动物捧在手中舍不得吃，拿到同龄的伙伴面前炫耀，说这是我妈捏的。伙伴们就会好奇地睁大眼睛，啧啧地赞叹道：“多可爱啊，像真的一样。”

前两年，县文化馆举办了一次民间艺术文化展评，一白抱着试试看的心态捏了一些面花就去了，立即引起了很多专家和同行的关注，还得了奖。专家们说这是一门艺术，是中国民间文化瑰宝，要挖掘传承、发扬光大呢。一白因此得了“面塑艺术家”的美誉。

面塑也和其他艺术一样，要发扬光大就要有所创新，或从手法上，或从立意上，或从造型上。一白的文化基础好、悟性高，她结合时代现实利用和谐的谐音，很快构思出了一幅《和谐盛世》：微荡涟漪的水面上，莲叶碧翠，荷花盛开，荷花周围，大大小小的螃蟹欢聚一起……有了奇妙的构思，作品就成功了一半。和面、捏花、发酵、入锅、晾干、涂色等，一切都在顺利地进行着。作品完成后，连一白自己也被感动了。她想，这回参加全国首届面塑艺术节就有东西了。

参加全国首届面塑艺术节的日子到了。一大早，丈夫和儿子就帮着她把几件准备好的作品装箱，搬上车。无意中，儿子发现了问题：“妈妈，你捏的螃蟹怎么都是六只脚呀？”丈夫一看，也说：“就是六只脚。”一白说：“我从小跟着曾祖母、姑奶奶学捏的，几十年了，还能有错？”话虽这么说，一白还是仔细看了一遍这些大小不等的几十只螃蟹。看完了就说：“是八只脚啊！”儿子说：“你说的八只脚是连同螃蟹前面的钳子，除去两只钳子不就剩下六只脚了吗？”一白数了数，儿子说得没错。一白自言自语地说：“难道我跟着曾祖母、姑奶奶学捏的螃蟹都是错的？我怎么就记不清楚螃蟹的八只脚是连同前面的钳子还是不连同钳子？”

于是，一白去问别人，别人说：“螃蟹除去两只钳子还要有八只脚。”一白又去问另一个人，另一个人作了同样的回答，一白顿时傻眼了。这可怎么办？想补救已来不及了。一白的心情坏透了。

全国首届面塑艺术节的现场，一白的《和谐盛世》吸引了众多参观者，跟随的记者把摄像机的镜头和话筒对准了她，要她谈谈作品的创意和制作的全过程。

看着自己的作品，看着只有六只脚的螃蟹，一白把脸扭到一边什么话也说不出来，只有泪水顺着脸不停地流。

围观的人有些不解。记者说：“她这是激动的，人一激动就是这个样子。”

事情的结果出乎意料，《和谐盛世》得了头等奖。人们对一只螃蟹六只脚似乎并不在意，一白的泪水又一次顺着脸不停地流。这回，她真的是因为激动啊！

1元钱的尊严

○邹当荣

一天，我乘坐公共汽车去单位上班。途经武昌黄鹤楼站时，一个戴眼镜的青年扛着电脑上车了。当时我正在看杂志，没有留意他是否投了币，却听见司机一声质问：“刚才你投的是1角还是1元?”我这才抬起头，看了那个青年一眼。青年放下电脑，肯定地说：“1元!”怕对方不相信，他又补充了一句：“硬币!”

司机是个三十岁左右的妇女，她显然对青年的回答不满意，张口就把声音提高了几倍：“你还狡辩，1元和1角投币的声音根本就不一样，别以为我听不出来，我开了十多年公共汽车，难道会听错?”

青年显然也生气了，说：“我坐了二十多年车，难道还会在意这1元钱?”说着，青年打开钱包，放进去一张1元的纸币。司机见状，鄙夷地说：“这不就对了吗？唉，现在的年轻人啊!”一句话，把青年刚刚恢复本色的脸又说红了。

车厢里开始议论纷纷。青年背对着所有的乘客，对司机说：“我确实投了1元硬币，不信你可以打开售票箱检查。”司机不耐烦地说：“算了吧，这里少说也有三四百元钱，你叫我怎么查？下次注意点就是，不要抱什么侥幸心理，不就是1元吗?”

青年不再说什么了。只是依然站在司机背后，背对着所有的乘客，始终没有回头。我担心他会对司机采取不理智的行为，一直注意着他的动作，甚至作好了挺身而出的准备。然而，青年没有任何异常的举动。

转眼之间，公共汽车到了洪山广场站。青年扛起电脑，对司机说："大姐，我是电脑大世界的软件维修员，我对您认真负责的工作作风非常赞赏，但是我必须告诉您，今天您确实误会我了！我之所以不跟您争执，是不想因此耽误大家的时间！"说完，青年头也不回地走了。

那一刻，车厢里寂静无声。

班主任

○韩昌盛

舟子上大学时，乡亲们问学什么，父亲说师范，就没有获得啧啧的赞叹声。师范有什么了不起？当老师，村里小学就有。

毕业后分到镇上的中学，一辆自行车骑来骑去。乡亲们更觉得平常，哪有开警车回来的明子，坐面包车的强子威风。再说，放假了他还在田里镐刨锹挖的，跟我们一样。

舟子不问，见到谁都笑呵呵的，对学生也认认真真和和气气。渐渐有了点名气，先是镇、县、市后是省优秀教师，教坛新星。有一次县长检查时不知来了什么雅兴非要听一堂课，学校就推荐舟子上。那堂课是《岳阳楼记》，舟子上得神采飞扬，让中文系毕业的县长大加赞赏，连说人才难得。

被称作人才的舟子暑假后就调到了县城中学，还是老师，班主任。

舟子却感觉到一些变化。比如在乡下和同学们一起去食堂吃咸菜打饭，这里不行，和家长吃。一开始不去，家长就请到了校长，校长打电话给他：这也是工作，说明大家相信你。校长还说，家长工作也是很重要的嘛！于是，舟子经常就和家长一起吃着，谈着，气氛很好。

星期天，舟子还回乡下老家。乡亲们就问，这几天不见回来？舟子憨憨地笑着，我调城里去了。

去干什么？提干还是改行？大家表现出极大的兴趣。舟子一面骑上自行车，一面憨憨地说，还是老师。

大家就对视一眼，读书都读死了。村长听到了，心里有些庆幸：昨天听说他调城里，还准备送他一张请帖商量招商引资的事，结果还干老师！

舟子不知道这些，他在城里稳稳地教他的书，教得孩子们心服口服。第二学期时，班里转进了十来个学生。

舟子去找校长。校长客气地让座倒水，谢谢啊！你给我争得了荣誉，有两个孩子是从市里转回来的。不瞒你说，县长的公子也进去了。

舟子没办法，只好认真地教。认真教书的舟子没想到自己成了所谓的名师，连县长都愿把儿子交给他了。出了名的舟子走在县城大街上感觉就不一样了，卖鞋卖衣服百货的家长客气得不得了。还有一次上医院看病，老家的村长弟兄几个正在那儿走来走去，说是挂不上号找专家。舟子想起班里有一个学生父亲在医院里，就联系了一下。三两分钟的事，院长出来了，热情得很，握着舟子的手直说太客气，平时请都请不到。舟子在院长陪同下看完病后，买些水果去看望村长父亲。村长千恩万谢的，看不出你在城里混大了。上次强子、刚子回去都还说，想找你吃顿饭你都没时间。

舟子拍了拍脑袋，也真是。天天家长请，根本抽不出时间。其实自己不喝酒，他们非要拐弯抹角地请，仿佛坐在那儿，孩子就有了保证。有一次吃过饭，马明的家长——那个做生意的老板非要请舟子一条龙服务。再三推辞不行后，他板了脸：我是你孩子老师，你希望我把你孩子也教成这样？一席话让老板直打嘴巴，对，对！你是好老师。

舟子心里清楚，我不是好老师。比如调位，家长都找，不能都坐前排吧，只好轮流。比如班干部，都想干，也只能轮岗。有个底线吧。不过，舟子还是留了点私心，县长公子的位子总是左右移动，刚子姐姐家的孩子一直干着学习委员。怎么办呢？人，生活总得实际一点吧。

过年时，村长登门来请，说村里开庙会呢。舟子说，当然回去。还给村长看了荣誉证书——省优秀教师，村长看了又看，摸了又摸，我们村第一个！回去的舟子不再骑自行车，坐车，县长的专车。县长对他说，也体现我对教育的重视嘛！谁说教师地位低?

坐着车很快就到了，村长亲自迎在路口。唢呐声声，村长隆重地介绍在外工作的人，舟子竟然是第一位。当所长的强子，任化肥厂厂长的刚子都谦虚地请他坐在中间。

村长粗声粗气地介绍：舟子，大学毕业，省优秀教师，县一中主任。舟子赶紧纠正，班主任。

村长说，反正是主任，我看比局长都管用。

强子接过来，就是，我们局长给我招呼过了，他公子下学期跟你上，你可得给我面子?

舟子笑笑，还没说话鞭炮噼里啪啦炸响了。雾气中，舟子看到母亲在台下笑着，掉了牙的笑很阳光，有一种说不出的愉快。

滴水之恩

〇韩昌盛

赵伟考上大学时，妹妹只有七岁，奶奶七十三，母亲生了一场大病去了另外一个世界，父亲砍柴跌伤了身体在床上愁眉苦脸。赵伟拿着通知书在阴暗的屋里坐着，沉默地坐着，他想对父亲说算了吧，我下学去打工。

但他说不出口。

他读了十一年的书，从一个流着鼻涕的孩子到血气方刚的县一中高材生。他不忍放弃。

他清楚地记得是村长明叔一边嚷着一边踏进他的家门，明叔后面跟着很多的乡邻，有人点燃了爆竹，有人捧来腊肉。

那天下午，乡邻们自己做菜自己吃了起来。走时，每人都丢下了厚厚的红包。大家说贺喜贺喜，没有红包哪成。

赵伟凭着这些红包走进了大学。明叔说你铆足了劲读书，甭愁钱的事。

每年春节，乡邻们都到他家吃一顿。走时，丢下厚厚的红包。明叔拍着他的肩膀，村子小，指望出个大人物，兔崽子，好好干。

赵伟当然努力学习。毕业时，进了省城一家有名的律师所。赵伟用第一个月的工资买了酒买了烟，送到每一户人家，赵伟穿着笔挺的西服向每一位乡邻敬烟。他说没有你们就没有我的今天。很多人都憨憨地笑，那算个啥？开代销店的老五快人快语，以后到省城找你，有酒喝就行。赵伟爽快地表态，那当然，滴水之恩，必当涌泉相报。

赵伟是个认真的人，这样说了，当然也这样做。村里和他一块长大的李功在省城打工被车撞倒了，赵伟忙着看望，筹钱治病，还义不容辞地打起了官司。官司打得挺顺利，赵伟极尽所能搜集证据查找资料，终于将赔偿金由25000元提高到4万元。李功出院时握着他的手，说不出话来。赵伟笑笑，没事，我这点出息还不都是你们给的？

小村的人心里一下豁亮起来，原来赵伟是个律师，省城的律师。李功在大树底下眉飞色舞地讲述着赵伟的厉害，那是真厉害，说得别人没法插嘴。听着的人一惊一乍，这小子，出息大了！

刚叔先找到有出息的赵伟，他的小三子和工头打了一架，被关了起来。赵伟停下手头的案子，奔波了七八天，将小三子领了出来。刚叔千恩万谢，赵伟很诚恳地，一直送到车站，多大的事，都是我该做的。

财叔也来到省城。他家的女儿退婚，对方在计算财礼上多要了钱，将财叔告到法庭。财叔很激动，大侄子，我是那样的人吗？赵伟一边沏茶一边笑着，不是不是，你人好着呢。六天的工夫，赵伟打赢了官司。财叔千恩万谢，真有出息了。

赵伟有出息在小村已经是不争的事实。提起他，大家都是无比佩服地吸着烟，让烟气在空中悠闲地飘散。当然，遇到麻烦事找赵伟也成了不争的规矩，谁叫是咱村出去的？谁叫这孩子有出息？再说当年要不是我们供他，他能有这本事吗？不过，最后一句话，大家没说出口。

所以旺叔、德宝也都找到了赵伟。旺叔的儿子犯了抢劫罪判了七年，旺叔老泪纵横，叫赵伟无论如何想办法将他少判点。德宝上街骑摩托和邻村的人撞架，交警队处理他赔偿了一万3000块钱，德宝气鼓鼓地说，想叫我出那么多钱，没门，大侄子，交给你了。

赵伟自然又得费去几天的工夫。然后告诉旺叔法院判得准确，告诉德宝交警队处理得很公平。旺叔忿忿地说准确个屁，德宝头一拧说一点都不公平。赵伟只好再去研究，研究之后上诉，上诉之后对方不服再上诉。

绝对是马拉松。旺叔和德宝底气十足地走完了马拉松，有赵伟在，怕什么，赵伟是省城的大律师。官司最终有了结果，旺叔的儿子由七年改为六年，德宝的赔偿数由一万三降到一万。

赵伟更加出名了。小村人上街都扬眉吐气，比如工商所收管理费，交警查摩托车牌照，他们理直气壮地质问，你们合法吗？小心我告你。

老父亲却唉声叹气。你改行吧，村子里的人都仗着有你，说不怕打官司，打官司也准赢，修路和上村人打，放水和下村人争，娃娃上学也拉帮结派打仗，打过都来找你。老父亲迟疑了一下，邻村的人都说你小人得志就张狂，见到我就指指点点。

赵伟说我也不想，可我怕被他们戳脊梁骨。

赵伟给村长明叔打了电话，当年我上学都是你张罗，现在我想把钱还给大伙。赵伟还很难为情地说，原来给乡亲打官司没收费，单位领导的意见挺大，以后得收费，也不一定是我去打官司，你在村里给解释解释。

明叔说行，该收的钱一定得收，谁也不欠谁的。

赵伟很不好意思地道歉，我欠乡亲们的，我得把钱还上。

沉默了很久，明叔才说，钱就不要还了，一大半是我的，乡亲们出的钱是村里的，你爹这些年给村里看护山林，也没给工钱，抵了。

扯平了，你爹年轻时也救过我的命，明叔笑着说，以后乡亲们找你，有理的官司给他打，没理的别浪费时间。

赵伟“唉”了一声，想说什么可怎么也说不出来。

纶　席

○高　军

纶席，阳都特产，即用编织诸葛孔明佩戴纶巾的材料编织成的席子。这种席子既柔软又坚韧，且冬暖夏凉，是阳都八宝之一。

每年秋后，山岭上成熟的纶草变成焦黄色的时候，百姓们就到自己的山地上收割纶草，卖给高记织席坊，换取几个铜钱补贴生计。高记织席坊用它编席，卖往四方，赚大钱。

高记织席坊的老板高良一是不干活的，他专门雇了一个编席的大师傅为他编席。这个大师傅叫高良运，是他同村的本家。高良运编席的技术是祖传，篾子破得宽窄厚薄一致，颜色搭配精巧，既耐用又美观，销到大半个中国。他和他的后人编的纶席，有一部分被当时的传教士捎回去了，至今在美、英、法等国的一些博物馆被珍藏。

东家待高良运不薄，高良一下午好喝一小气儿酒，酒是阳都名产诸葛老窖，没有其他人的时候，就喊大师傅来一起喝。高良运就有了知遇之感，更加卖力地为东家干活，从没产生过外心。

这年秋天，来了一个神秘的客户，看了看样品后就离去了。

晚上，这个头大体胖、红光满面的客户悄悄地钻进了高良运住的破草房，先是称赞他的手艺，接着说："高师傅，我在咱阳都买了一个地方，想开个编席厂，给你的工钱会比高良一给的高十倍，到我那里去干吧？"

高良运的身体颤抖了一下，抬头看看低矮的破草房和空荡荡的院子，低头不语。

这人站起身来："这样吧，你再考虑考虑，明天我再来听你的信儿。"

高良运抬起头来，使劲摇了摇，坚定地说："别啦，俺不去。"

客户一下子撒了急："给你二十倍的工钱，怎么样？"

高良运知道，在阳都，精通纶席编织的只有自己，他若不去，此人的前功就尽弃了。

但他还是摇了摇头："俺不能去。"

光绪二十七年，阳都大旱，粮食颗粒无收，纶草也只长到寸多高就干了，高良运的生活一下子陷入了困顿。此时，高良一经常地接济他，并把他家的一个丫环送给高良运做了老婆。

从此以后，高良运对东家更加贴皮贴骨、忠心耿耿了。

到民国十六年高良运去世前，他一家人仍然住在两间破草房里，过着捉襟见肘的日子。

而此时的高良一家已由经营纶席发了大财，在上海办起了纺纱厂，越过越红火。

高良运去世后，高良一仍在阳都主持编席作坊，高良运的儿子高小运成了纶席的正宗传人，很自然的继续在他家卖力。

某日，又来了一个年轻的客户，在作坊里打了个逛儿，粗略地看了看样品，一句话也没说就走了。

天黑以后，他又敲开了高小运破草房的门，开门见山地说："我要办个大编席厂，想请你去干，绝不会让你干一辈子住着两间破草房。"

娘在一旁说："儿啊，东家对咱有恩，咱不能做对不起人的事儿啊。"

高小运尽管没答应这个人的聘请，却多了一个心眼儿。不久，他就与东家分了手，开始自己编席。看到儿子如此，娘又哭又骂。后见儿子铁了心，也就任他了。但心里一直为儿子借的那笔钱担心。

高良一年事已高，来劝了几次，见他主意已定，只好放弃了自己的作坊。一气之下，搬到上海儿子的纺纱厂去住了。

儿子们一直劝老爷子去上海生活一直劝不动，没想到老爷子自己来了，也就没回阳都去难为高小运。

事实证明，娘的担心是多余的，仅仅几年工夫，高小运就盖起了5间大瓦房，修起了高门大院，日子一天比一天红火。

接着，他又建起了10间编席作坊，雇了20多个短工，还有4个长工，大干了起来。但不论什么时候，他绝对不把编纶席的关键技术传给别人。

他编的纶席，在高良运的基础上，运用纶草的自然颜色，更加巧妙地搭配，有的编上了八卦图，有的编上了龙凤呈祥，有的编上了牡丹，有的编上了芍药，有的编上了麻姑献寿，有的编上了天女散花，有的编上了“身体健康”，有的编上了“爱情坚贞”。他编的纶席价格大涨，却更畅销了，简直可以说是供不应求。当然，他也成了远近闻名的大富户，财产成几倍地增加。

解放后，高小运被镇压了。使用纶席被说成是地主资产阶级老爷们的生活方式。老百姓就到山上连根刨掉纶草当柴烧以表示革命。又加上高小运没有男嗣后人，编纶席的手艺没有传下来。

现在，在阳都，纶草早已绝迹，纶席也成了传说中的物件。前几年，在美国加利福尼亚举行的一次拍卖会上，高小运编的一领带有八卦图案的纶席卖到了15万美元。

之后，很多外商想来阳都投资办纶席编织厂，皆乘兴而来，败兴而归。

卖雨伞的姑娘

〇刘志学

有些思念是不需要理由的，就像那个姑娘的身影时常跃入我的心里。每当缠绵的细雨裹住这个城市的时候，那种思念就如同四处弥漫的细雨一样，无边无际。

我不明白为什么会常常想起她，我也不明白那个雨夜她从哪里来，会到哪里去。我仅仅和她邂逅了不足一刻钟，为什么她留下的印象却如同潮水一样，时常翻越我情感的篱笆，撞入我的思念里？

那是一年前的一个雨夜吧？是的，就是一个细雨菲菲的夜。路灯在丝丝雨线织成的帏帐里睁着惺忪的睡眼，撒下的光映射在路面的积水上，路于是五彩斑斓。

就在那个雨夜，在单位加班昏了头的我下了楼，才知道这个城市的一切都猫进了细雨的怀抱里。我呆望着路灯光罩里舒缓而降的雨丝，想起了远在十多公里之外的家，心一横，推着车子撞破了雨幕。

“先生，您需要一把伞吗？”正准备骑上车子的我，突然听到一个轻盈、温馨的声音。回过头我才发现，单位大门外的路灯下站着一位姑娘，怀里抱着一捆雨伞。她有十六七岁的样子，穿着鹅黄色的薄毛衣和黑色的长裙，背光站着，看不清她的脸庞。

我的确是需要一把伞呀！我停下来，仔细地把她怀抱中的十几把雨伞挑了一遍。我那时世俗地想：街头小贩儿的东西十有八九是假冒伪劣，既然急需，那买就买吧，但挑挑拣拣的事儿是不能掉以轻心的。

那姑娘极有耐心地把我打开包装的雨伞又一一装上。她蹲下来时，一头长发几乎垂到了地上，发稍上一缕缕地淌着雨水。

“姑娘，你卖的是雨伞，为什么不自己用一把？看你，小心淋病了。”我嘴上这么说，手里却没有停止挑拣。

“一用就卖不出去了，这是我这个学期所有的生活费……”姑娘说了半截儿，止住了话头。我这才明白，眼前的这个小贩儿，是个学生。我想接着问她其他的情况，但她再不肯说一句话了，只是悉心地拾掇着被我弄乱的雨伞。

我不好再挑拣下去了，随便拿了一把，撑开，遮住了我的脸，遮住了我世俗的灵魂……

事情就这么简单，简单得如同到集贸市场买了一把小葱、一捆韭菜那样，只不过是我生活中完成的一个小小的交易而已，但那个雨夜及时出现的那把雨伞，却罩着我干干爽爽地回到了家里。而且，我走到半路时，那场雨就下大了，原本温柔细腻的雨丝变成了骠悍狂暴的大雨，因而，那把雨伞便显得尤为体贴、尤为及时……

隔了两天，我无意中翻阅彩印的晚报时，在四版右下角看到了一幅图片报道。虽然那晚我没有看到卖伞姑娘的面孔，但我从衣着的款式和颜色以及报道的内容上却立即断定，她就是我遇见的那个姑娘。图片报道简练得只有几句说明：“这位贫困大学生昨晚在勤工俭学卖雨伞时，挺着感冒了好几天的病体，因冒雨等待一位付款时掏掉了400余元的顾客，而昏倒在街头……”

那个因付款而掏丢了400多元钱的人肯定不是我，如果是我，那就太富有戏剧性了，而且我对她的挂念也会有个充分的理由。报纸上没有她就读的校址，只有她很美的名字。我不知道那位丢钱的顾客看到这篇报道会有什么样的感觉，但我当时没把那几句图片说明看完，就立即想起了雨中的路灯下，她的那句含着丝丝忧愁的话：“这是我这个学期所有的生活费……”

于是，我便为那个夜晚自己的刻薄而愧疚，并迅速痛恨起自己来……

又是一个下雨天。独自走在行色匆匆的人流里，我又想起了那个卖雨伞的姑娘。初春的雨水还有几丝凉意，我没有打伞，潜意识里有一种希冀：那个穿着鹅黄毛衣、黑色长裙、看不清面庞的姑娘会不会突然出现在我的面前？

“先生，您需要一把雨伞吗？”如果我再次听到这句轻盈温馨的问话，我会热泪盈眶。

民工打架

○曾　颖

大清早，建筑设备租赁站的老板于黑娃就把他手下的几十个民工叫到一起，以电影里指导员做战前动员的语气和手势对他们宣布：我们和乐乐建筑公司这一架今天是必须要打的了！他们租我们几百万的设备，已经半年没有给租金了。现在我们的供货商催着要货款，你们的工资也几个月没发了，这一架不打，成吗？

民工们于是群情激昂，摩拳擦掌起来：乖乖，老子几个月没领工资，敢情都是被乐乐建筑公司拖着呢。打，一定要打！

于黑娃见动员已初见成效，于是开始布置具体的作战步骤。他说：我们今天虽然是去打架，但决不能做成专门打架的样子。我们先到他们工地上去拆我们的设备，他不给租金，咱拆自己的设备是天经地义的！当然，他们肯定不许咱们拆，到时候，谁来拦，我们就打谁。打翻几个在那儿摆起，他们苟老板就不可能再躲着藏着不见面了。大家好好打，但注意不要朝致命的地方打，打个场面热闹。到时，我不仅把欠大家的钱一分不少地给大家，还发奖金。谁要不齐心协力，出工不出力，到时可别看着别人拿钱眼红，说我不仗义！

民工们纷纷附和，说了些凑热闹的话。想着这一仗之后可能领到工资和奖金，他们甚至已有些跃跃欲试了。

所有人之中，只有民工老钱很苦恼。因为他们即将要去打架的乐乐建筑公司工地，正是他儿子福娃子打工的地方。想着即将到来的这场战斗，棍子锄头和钢钎可都是不长眼睛的玩意儿，万一把他那唯一的儿子砸着磕着碰着，哪怕是吓着，总还是不好的。这孩子虽然出生在农家，但这些年宝贝疙瘩似的娇着宠着，也没有受过太大的苦头儿，也更没见过什么吓人的大阵仗。

想着这些，老钱心焦了。他想装肚子痛，不去参战，但想着于黑娃说的工钱的事，他又踌躇了。

他想装着上厕所去给福娃子打电话，让他出去躲躲。但怕于黑娃发现，后果比拿不到工钱更严重。

直到上车，他一直没想到合适的招儿。

几辆车浩浩荡荡地出发了。于黑娃的三菱越野带头，敞篷货车殿后，一路杀气，直奔乐乐建筑公司工地。

老钱的血管突突地跳着，耳朵里一片杂乱的轰鸣，脑袋里像有二十只狗在打架。

直到工地门口，老钱才打定主意，决定一下车就冲去找福娃子，自己和他打，自己的手有轻重，至少不会伤到娃。

乐乐工地似乎早有防备。而且，在二十几分钟之前，也即是于黑娃在给他手下的民工做战前动员的时候，乐乐建筑公司的苟总经理也对他手下的民工做了内容相近的战前动员，他说：甲方资金周转困难，把我们套在这里，眼见工程接近尾声，租赁公司现在来催账，确实有冰上加霜的味道。我们如果咬咬牙，坚持住把房子修好，兴许就能和甲方一起度过困境，收到工程款，大家这几个月的工资才会有着落。否则，我垮了，大家也白干了。因此，今天这一架，大家不是为我打，而是为自己打！

除了福娃子之外，工地上的民工们也群情激昂，摩拳擦掌起来。

福娃子也经历了和他爹几乎相同的痛苦思考过程，并最终作出了和他爹几乎一样的选择。等战斗一开始，专找他爹！

战斗几乎是在没有任何悬念的情况下展开的。租赁站拆机器，工地护机器。然后，开打！

在乱军之中，福娃子拎着木棒找他爹。他爹也正拎着钢钎找他呢！

两父子见面，也不言语，把平常从武侠片中看到的各种招法，花里胡哨地舞了一阵。你攻我闪，我攻你让，搅起一阵混乱的烟尘，气势颇为热闹。

于黑娃和荀总，各自在本方阵角上站着，大呼小叫，就是不上阵。

十分钟后，110、120闻讯赶到。战斗结束，双方除指挥员之外，就剩老钱和福娃子没有挂彩。其余众人，轻则鼻血落牙，重则伤筋动骨，躺在地上直呻吟，现场一片狼藉。

在去医院的路上，老钱和儿子为自己既保住了工钱又保住了亲人，幸福地相视而笑。

比他俩幸福的是于黑娃和荀总。因为此次事件，引起了有关部门重视，专门给工程拨了专款，以解燃眉之急。在电话里，荀总对于黑娃说：老弟，你出的这打架的主意，高！实在是高啊！让我们大家共同度过了难关。今晚，咱兄弟俩一定好好喝一盅。

在他们喝酒的时候，租赁站和乐乐建筑公司的民工们也因为听说明天要发工资，而忘了伤痛，快乐地奔走相告，并相约：等拿了钱，咱们也凑份子喝喝酒，好好庆贺一番吧！

民工斗雨

○曾　颖

盛夏时节，住在工棚里的民工们最渴望的是下雨，最害怕的也是下雨。

渴望下雨是因为天气实在太热。闷热的空气像一团滚烫的棉花，沉沉地堵在他们脸上，使他们身上除了汗腺之外的所有零件都变得运转不畅。只有清凉而冰冷的雨能让他们在这个沉闷而痛苦的夏天里体会到一点点难得的清爽和幸福。有时他们甚至认为这是老天可怜他们，给他们送洗澡水来，因而，如果你看见下雨时民工们在雨中一面往身上抹肥皂一面唱歌的镜头千万别奇怪。尽管淋在他们身上的有可能是酸度和灰尘含量超标的脏水，但他们饱经生活磨砺的皮肤似乎已经百毒不侵了。毕竟，酸雨还不算他们在生活中遭遇到的最恐怖的东西。

如果这场雨在民工们抹完肥皂、唱完歌之后都还没停的意思的话，那就可以算是恐怖了。

工棚的地势很低，当初包工头设想的是，只要他们正在兴建的这幢大楼起来第一层，民工们就可以搬进去。因而，在工棚的制作成本上便大打了折扣，盖的是旧油毛毡，太阳一晒，软塌塌地往下流黑水，大雨一淋，则生生地往下落黑皮，这还不是最可怕的。最可怕的是，由于当初选址的潦草，使得工棚成为工地上雨水的集散地，每一次下大雨，最先淹的便是这个地方。

洗完雨水澡的民工们见雨还没有停的意思，于是赶紧跑回工棚，开始准备和雨水的战斗。通常，他们最先是将自己不多的行李甩上木板床，以防被水浸湿或漂走。接下来，他们开始将洗脸盆等盛水的工具攥在手中，看着雨水像魔影一样慢慢地爬过他们修了无数次的警戒线。如果雨水就此止步的话，他们就会拍手欢呼，甚至蹲在床上逗雨水说：有种你上来，上来啊！

然而，今天的雨显然不想给他们嚣张的机会，它毫不费力地翻过门沿，慢慢地往前推进着。地上的干灰在水的裹挟之下也变得有些兴奋，空气中有湿湿的一股灰尘味道。

民工们于是开始加固护堤，并用盆子、饭盒和碗等容器往外舀水。以往，他们曾经打过现代化的主意，想到保管室借一台潜水泵，只要用那玩意儿一抽，再大的雨他们也不怕。但包工头和保管员似乎和雨是一伙的，坚决不肯帮他们。碰了几次钉子之后，民工们便再也没有非分之想，只好高唱着下定决心地自力更生去了。

如果花大力气努力舀的话，工棚里这十几个身强力壮的汉子和他们手上的武器大致还是可以和雨打个平手的。但是，今天的雨似乎比往日决心更大，也更有智谋，在地面进攻不行之后，就开始空袭。

油毛毡盖着的工棚空洞得像一只鼓，在大雨的猛烈敲击之下，发出令人心烦的声音。接下来，原本就有旧伤的棚顶开始破裂，一个阵地失守，引发连锁反应，很快，几个大洞出现在民工头上，几根漂亮的银链，悬挂在工棚中央。这时，灯泡被雨淋炸了，工棚陷入一片黑暗之中。

民工们知道工棚中央那几个洞和银链对他们意味着什么。于是赶紧组织“敢死队”，冒险爬上棚顶，以堵机枪战术，用塑料布和雨披将那几个漏洞堵住。他们的手和脚被钉子扎出血，工棚里于是就有了些咸咸的腥气。

雨似乎像是见了血的公牛，开始更勇猛更狂野地冲击。民工们节节退缩，他们开始搬床，把床尽可能向没有漏雨的地方搬。本来，照这样的局面，他们应该弃城逃跑了，但无奈身后那容纳几百万人口的大城市实在没有地方可以容纳他们了。

这时，他们的脚下已有了一条河。所有的床像他们家乡的吊脚楼一样杵在河中。塑料袋、纸屑和垃圾则像树叶一样在吊脚楼下面游荡着，翻卷着。他们知道，再干下去已是徒劳，于是各自收了脚，往床上一坐，开始掏烟，又发现烟和火柴已湿，于是稀稀拉拉又是一阵叹息。

一闲下来，才发现肚子的存在，他们猛想起还有一件最重要的事情没做，那就是吃饭。米倒是可以不用淘了，但柴却没有一块干的。有人提议上街去买些馒头，而更多的人则说：要买肉，还要买酒，天老爷不怜惜咱，咱自己怜惜。

连平常最节俭的人都从贴身口袋里掏出混着汗水和雨水的 5 元钞票。三名后生拿了钱，勇士一般冲入雨中，不一会儿，便带回一大包猪头肉和鹅肉，还有一塑料桶酒。

工棚里于是就有了肉香和酒气，这似乎是民工们对付雨的最后一招了。饶是它再大的雨，在肉香和酒气面前，都显得没有了威力和脾气。只有周围住宅楼里的城里人觉得不可理喻，他们说：这些乡下人，一下雨就喝酒，真正是比诗人还有气质。

琴　声

○高　军

上高中后，大凡必须中午回家吃饭，因为学习紧张，必须午睡一个小时。楼上的王家有个患精神病的女儿却每天中午在家里弹琴，几年了邻居们谁也没有试图制止过。琴声一响，大凡的睡意全跑了。越是想快速地睡着，就越是睡不着。休息不充分，就感到浑身紧紧的，身体有些沉重。他知道，这个麻烦是不好解决的。

王家的这个孩子，小时候长得漂亮可爱，从小就练琴。可到了高中阶段，其他学科不突出，压力越来越大，就精神不正常了。后来只好休学在家，但练琴却成了她的每天的必定项目。邻居们说，让她练吧，说不上慢慢就会好了。所以几年来，午饭后的这段时间，她一直是在不间断地让楼上乐声不断，大家也就都习惯了。

过去大凡不用午睡，也就没有大碍。上高中后，学习紧张，起床早，睡觉晚，学校五冬六夏地安排着午休，大凡又必须每天回家两次，回家吃一顿午饭，晚上在家住宿。每天中午，听着楼上的琴声，父母唉声叹气的。大凡躺在床上，两手使劲捂着耳朵，想赶紧睡着。过去听到的琴声并不大，可这时候却感到直直地往耳朵里钻，就怎么也睡不着了。三天后，大凡一家彻底失望了。他身体的沉重感更严重了，准备与学校联系，请求安排住校。可第四天，楼上破天荒地中午时候的琴声停下来了，大凡终于睡着了。

中午的琴声消失后，大凡刚开始是高兴的。不久就隐隐有了一丝不安，好似楼上在压抑着什么似的。但是他睡醒一觉，往楼下走的时候，往往会听到楼上响起一声重重地按琴键的声音，接着琴声又响起来了，由一股狠劲慢慢变为柔和的曲调了。时间长了，大凡也就放心了。楼上王家在改变一种习惯，这于整座楼的住户是有利的。

一次，大凡一家正在吃午饭，楼上响起杂沓的脚步声，好像几个人在拉拉扯扯似的，但很快消失，什么动静也没有了。

听邻居们私下里议论，是王家两口子知道了大凡需要睡午觉，就让自己的女儿改变弹琴的习惯，女儿很多时候是反抗的，但两人总会看着女儿，就是女儿坐在了琴前，也会齐心合力把她拉到一边去，一直看到学校上学时间，才任由女儿再去弹琴。

邻居们议论中，倾向性非常明显，绝对是赞赏这种做法的，毕竟很多人家希望中午安静地休息一下的。可是不久以后，邻居们就开始转向了。据说王家这样严管女儿后，那女孩的病情又有所加重了。

这样，大凡一家也不安起来。大凡和爸爸妈妈说："再和老师提提要求，住校去。"但他和老师说了以后，老师说学校学生公寓紧张，要先让离家远的同学住下来，让他先在家住着，等腾出床位再安排。

大凡在午休得到保障后，身体的沉重感却没有消失。于是，他就经常会到音乐室里练习弹琴。很多同学不理解，劝他好好学习，迎接高考。有时班主任也劝他把精力集中到文化课的学习上。但他笑笑说："我抽空弹霎儿琴，会感到浑身轻松，头脑更好使。"

他说的是真心话，在琴声里，他的大脑中会一片澄明，随后拿起课本来，能记得更牢，做题速度也会加快。

老师答应有空床位就让他住校，可始终没能如愿。他照旧每天中午回家吃饭和午睡，楼上王家中午也一直很安静，偶尔会重复一次脚步杂沓声，但很快就会安稳下来。

三年中，大凡认真上别人不太重视的《音乐欣赏》课，和音乐老师学会了好多的曲子，并且弹奏得非常熟练。

高考结束的第二天中午，大凡和爸妈说想到楼上王家一趟，爸妈交换了一下眼色，露出欣慰的笑容，连连点头说："去吧，去吧。"

他跑到洗漱间，把头发仔细地梳理了一番，然后把衣服整理平顺了，才去楼上敲门。

门一开，大凡对着王家一家人，深深地低头鞠了一躬："谢谢，三年来为了我，您……"

"孩子，快进来。"两位大人热情地往家里让着。

进门后，大凡看到王家姐姐在客厅的沙发上坐着，眼光有些直，身体不停地扭动着，光想起来干点什么的样子。他的眼圈红了，转过头来对着两位大人说："高考结束了，今天中午我想在这里弹一曲，不知可以吗？"

两位大人愣了一会儿，继而笑了："可以。当然可以。"说着，把他引导到自家的钢琴前。他看到，随着他走向琴前，王家姐姐也从沙发上站了起来，眼光开始变得柔和起来。

大凡慢慢坐下，凝视着黑白琴键，安静了一下自己，然后将双手轻轻抬起来，稍微停了一会，才向下按去，随即优美的旋律似流水一样弥漫开来。

一曲弹完，他起身招呼已经来到琴前的女孩："姐姐，你弹一曲吧。"

然后，他对两位大人说："从今天起，让姐姐随便弹吧……"

他告辞的时候，女孩的琴声已经响了起来，他感到自己三年来不时出现的浑身的沉重感慢慢要彻底离开自己了。

生　活

〇徐慧芬

晚上，他拖着有些沉重的步子，一步一步进了家门。直到早上出门前，她才对他说出这几个字：我下岗了。以前的猜测终于得到了证实。他想，她是怕我不好受，自己憋了一夜。今天，她在家干些什么呢？

屋子里的变化，使他感到有些惊奇。

阳台上多了几盆拖着长藤的垂绿植物，而她的一头长发却剪得不能再短了。

餐桌上铺了块新台布，撩起台布，才发现桌子是新的。

“我把旧桌卖了，换了张新的。”她说。

他知道，这只红木桌子是她去世的父母留给她的唯一纪念品，他们谈起过的，只有到儿子上大学时，学费不够用，才可以卖的。

现在提前卖了，可儿子才只有初三。

“只是下岗呀，你还有可能上岗的呀，怎么就变卖家产了呢？还没到这个地步，是吧？”他小心地问。

“我想做股票，总得有资金呀！”她说。

“股票风险大，你能行吗？”他不无忧虑。

“现在没有什么行不行的，很多很行的人也下岗了，很多不行的人下了岗也变得行了。也许玩一下，玩得好，我也能发点小财呢！”她安慰他。

“假如股票做不好呢？”他又说。

“做不好，再换一种活法，反正各种活法都得试一试，人总得活呀！”

“你有这样的心态，很好。”他也安慰她。

“昨晚我前前后后想了许多，我想起我们楼下那个管垃圾的外乡人，那个只有一只左手的小伙子，每天在垃圾堆里翻拣一些能换成钱的东西，然后再把垃圾整理好，把垃圾箱冲刷得干干净净。这些做好后，他就挨家串户去收购废旧物品，再闲下来，他就坐在破藤椅上看书。我就想，他靠这样也能活下去，而且活得挺自在，我们不是比他好多了吗，至少目前我还有一份下岗费。再说，你去年出了工伤成了老病号，现在厂里也没有把你扔掉嘛。”

他静静地听她说完，好久才冒出一句：你好像有点阿Q精神了。

她笑了笑说，阿Q精神也是有点用处的，我们是平头百姓，亲戚里也都是些无权无势的老实人，所以总得想法子自己开导开导自己呀！

他的眼圈有点红了，伸出手把她拥在怀里，久久没有松开。

“叮咚，叮咚！”门铃响了，他们的儿子背着一只大书包汗津津踏进了家门。

两个大人互相交换了一下眼神。刚才，他们商量过，暂时不让儿子知道这件事，等他这次毕业考后再告诉他。

饭桌上，儿子告诉父母，这次模拟考试成绩不错，老师说他有希望能考入重点高中。

两个大人脸上有了笑容，对儿子说，你要好好争气，将来争取再考一个重点大学，再选一个好的专业，毕业后再找一个不容易被淘汰的职业。儿子点了点头。

儿子又告诉父母，他的同桌阿勇因为爸爸下岗了，家里还要给瘫痪的妈妈治病，阿勇爸爸准备不让阿勇再升高中了，要阿勇帮他一起去做贩卖水产的生意。阿勇成绩好，一门心思想上大学的，所以心里很难过。

两个大人听了儿子的话，又交换了一下眼色。沉默了一会儿，忙岔开话题。

饭后，孩子进了小屋温习功课，夫妇俩坐在电视机前收看新闻。新闻后是一部电视剧。当剧中侵吞国有资产的腐败分子被揪出来时，他惊讶地发现，身旁的妻竟睡着了。他开大音量摇着她的肩膀兴奋地嚷着：“快看，快看！抓起来了，抓起来了!”

然而妻已是鼾声渐起。他不知道妻瞒着他在外揽了一份沉重的体力活。他平凡的妻今天确实太累了。

说　梦

〇乔　迁

张亮与我同一所师范学校毕业，不过比我晚几届，他毕业回到县城时，我已经从学校跳到教育局上班了。张亮到教育局报到，与我见面，提起了我的班主任，也是他的班主任，我便对这个叫张亮的小师弟感觉亲切了。张亮被分到县里的一所小学。我请他喝酒，为他即将成为一名真正的教师。

喝酒时，我们谈起了师范时的生活。师范的生活是美好的，要比读小学读初中轻闲自在，舒服，没压力，不累。说到不累，张亮眼睛一亮，抬头对我说："我教学一定不留作业，把写作业的时间都留给孩子们玩。"

我一下子怔住了，望着张亮发红的脸说："喝完这杯别喝了，以后再喝。"

张亮一笑，说："师哥，认为我喝多了。没多，真的。我上学时就烦老师留作业，留一大堆作业，连玩的时间都没有，那时我就想，将来我当老师，我一定不给我的学生留作业。"

我苦笑了一下。我上学时也特烦老师留一大堆作业的。可是，老师怎么能不给学生留作业呢？学生怎么能没作业呢？

张亮似乎看出了我的疑问与无奈，喝了一口酒说："老师讲的那点课，学生在课堂上学会就行了，没必要放学后还一遍遍地做。人家国外的孩子就不像咱们，放学后不仅没作业，在学校时老师还领着玩呢，也没见人家的孩子比咱们的孩子差哪儿去。”

“国情不同，教育教学的方式也不同。”我轻叹一声说道。

“嘁，有什么不同！我看人家的教育方式比咱们好，对孩子的成长发育好，不死板。我要改正一下咱们的教育方式，把作业取消了。”

我忙酒杯碰了一下张亮的酒杯说：“喝了，咱们吃饭。”

张亮笑笑，说：“还是认为我喝多了。”

张亮没喝多，话也不是酒话。张亮到小学上班，接了一个班，张亮真的不给学生留作业。一天，两天，三天，第四天时，有学生家长跑到学校问张亮：“怎么不给孩子留作业呢?”

张亮说：“学生在课堂上都掌握了，不需要留作业的。”

“不需要留作业?”家长惊讶地望着张亮。张亮点点头。“怎么能不留作业呢?”家长不高兴地说。

张亮就开导家长说：“做作业的目的是什么？不就是为了让学生把知识学会，学扎实了嘛。我在课堂上已经让学生们把知识学会弄懂了，而且也练习了，巩固了，为什么还要留作业呢？难道让孩子们玩玩不好吗?”

家长的脸色就很难看地说：“玩能有什么出息，只有学习好才能有出息。”说着气哼哼走了。

越来越多的家长跑到学校问张亮为什么不留作业，张亮每一次都是这么回答。张亮的回答并没有让家长们满意，家长们怕孩子被张亮给误了，便纷纷去找校长。

张亮对质问他的校长说：“我保证学生学习成绩好就行了呗!”

校长黑着脸说：“现在那么多学生家长要求把孩子调离你的班，这样下去，我能保证你还有课教吗?”

张亮就怔住了。片刻，张亮默默地离开了校长室。

我去张亮所在的小学听课，正巧抽到张亮的课。走进教室，看到学生们一个个都很疲倦的样子，在教室后面坐下后，我忍不住问前面的一位学生："放学留作业不?"

学生用手揉了一下眼睛说："留老多作业了，哪天都得做到十点多钟的，累死了。"

望着讲台上的张亮，我突然感觉很累。

四季阳光

〇徐慧芬

夏日的阳光把她的影子缩成一团。她手上拎着一只鼓鼓的编织袋，肩上搭着一只背包，跟在别人后面走出了火车站。天气太热，她的脸通红，汗水不断地从额上、颈上渗出来。问了好几个人，换了两部公交车，她才来到这条街上，找到了开盒饭铺的老乡。

秋日的阳光温和起来，她两只手各拎着一个装满盒饭的大袋子，快速走着。这片密密麻麻的高楼区，与她熟悉的无遮无拦的乡野稻田相比，反差太大了。她进了大厅，笑着向门卫招呼了一声，跨进了电梯，揿了按钮，到了二十五楼，踏进办公室，她喊了一声：饭来了！又说了一声：今天菜好，有大虾哎！一个鬈发男士替她传唤：阿兰来了，快来拿饭！一群“白领”很快围了上来。打开饭盒，香气四溢。他们相互打趣，妙语横生，时而夹杂着一两句英语，逗得她也笑起来。她咽了咽口水，急匆匆向大家道了再见，转身走了，她下午还有活要赶紧做。

冬日的阳光暖暖的，她的心也开始暖起来。除了中午送盒饭外，她另外又找了一份工作。她开始往家里寄钱了。她从邮局出来，太阳已落山了。她哼着曲儿，想象着母亲从邮递员手中接过汇款单的模样。她拐了个弯，在一个烟杂店里买了两盒好烟。盒饭铺老板接过了烟，皱着眉，踌躇了一会儿开了口：阿兰，你当保洁工的事，今天被你送盒饭的那家公司发现了，人家觉得你又送盒饭又扫厕所不卫生，我与你虽是同乡，但也没有办法，城市人是挑剔的，你不要怨我辞了你……她咬着嘴唇，点了点头，用手抹去了淌在腮边的一滴泪。

春天的太阳懒洋洋地催人睡。她早早起来了，她已觅到了一份新工作，她当了“蜘蛛女”。为高楼大厦擦玻璃窗的女子，腰上绑着安全带，悬在空中，张开手脚忙碌着，样子活像一只大蜘蛛，人们叫她们“蜘蛛女”。开始训练时，她感到恐惧，想到她的父亲从乡下出来打工，就是为这个城市造房子，不慎从高处跌下来的。但是，这份工作毕竟报酬不算低，她又太需要钱了。她横下心，强迫自己克服恐惧感，渐渐适应了。渐渐地，她的工作效率在圈子里也有了点名气。这片楼区里的大多数办公楼的窗子，她都擦过。有一次组长正好把她分到那幢二十五层高楼里，她贴着玻璃窗，清清楚楚看到了几张熟悉的面孔。但是玻璃窗里面的人都没认出这个穿着工作服、戴着大口罩的“村姑”来。

夏天的太阳，热得能把人烤熟。八年后，她又来到了第一次送盒饭的这幢楼，她熟门熟路进了电梯，揿了二十五楼，到了那家公司门口。几张熟悉的面孔里只剩下那个鬈发先生了，连经理也换了。她捋了捋头发，向会议室走去。不一会儿，她听见新来的女经理正在会议室向属员们自报家门，介绍自己的经历。

“我出生贫寒的农家，但自幼读书读得还可以。父母为了让我能一直读上去，历尽辛苦。那一年我高中毕业，目标是报考北京一所名校，可是家里出事了，父亲是建筑工，从高处摔下来，成了瘫子……我到这个城市打工，做过几十种工作，最初，我每天只吃两顿饭，并且吃过很多盒饭里的残羹……我从未放弃过学习，白天工作，晚上进夜校……对了，除了本名外，我还有好几个称呼，其中两个特别有意思，一个叫‘村姑’，那是八年前，一群年轻人用英语叫的，他们当时不会料到我能听懂。另一个叫‘蜘蛛女’，这幢楼里，每一扇窗玻璃都曾留有我的手印……”

她的眼睛潮湿了。是的，她确实听见了自己的声音，在空气中跳跃。

坦　克

○魏永贵

王区长临出门在镜子前认真地扎领带。

这时候老婆说话了。老婆说，呦这刚上任还真不一样了，开始人模狗样了。

老婆抱着胳膊一边晃着头看着男人。

王区长说，什么话呀今天要去医院看一个患病的特困儿童，很多好心人捐款，我这当区长的也不能袖手旁观，再说还有媒体采访，西装革履也是对观众的尊重。

老婆说对，你这是上任后头一次露脸，形象是很重要；再说老公外面走，带着老婆一双手，你这也是对老婆的尊重，呵呵。

老婆边说边帮男人又扯又拽的。

王区长皱了一下眉头：去看孩子不知道带什么东西啊。老婆一听“哧”地笑了。老婆说你新上任看来是真的不懂规矩，不过你没吃猪肉还没看见猪走啊，整天电视里都那一套，秘书早给你安排好了——见面握手送红包说几句鼓励的话，再一拍屁股就走人了。

王区长说这一套我也明白，我是说咱们自己看看有什么东西可以给人家孩子的。

老婆明白男人意思了，随手就从鞋柜上拿起一个盒子。

老婆说你把这个东西带上，昨天晚上一个搞什么工程的姓王的送来的，说是给咱们儿子的什么电动玩具坦克，嘁，真是太小儿科了，这年月还有送这个的，我正要当垃圾扔掉呢。咱们儿子连电脑都快不玩了呢。

王区长笑着说不是说了不收别人的东西了吗，这坦克都收了看来炸药包你也敢收的。老婆刮了一下男人的鼻子。老婆说，谁收东西了这不是让你转送给患病的孩子吗？

老婆就把抱着玩具坦克包装盒子的男人推出了门。

晚上王区长和老婆在沙发上看晚间新闻。终于看到了本地新闻。看到了王区长的去医院的人模狗样。还看到了病床上的那个孩子抱着玩具坦克双眼发亮的镜头。王区长说唉你看你当垃圾的东西人家孩子简直当成了宝物。

这时候电话响了。

电话说王区长我刚才看电视了，看见你去医院慰问孩子的光辉形象了。

王区长说你谁啊？电话里说王区长我也姓王，我昨天晚上上你家赶上你有应酬所以……王区长说，哦我知道了。电话里的声音突然低了，说王区长我看见你送给那孩子一个坦克不会是我昨晚上送你家的吧？王区长说，是啊，我正要代那孩子感谢你呢。电话里说，哎呀，王区长，那……那坦克里有有一点小意思……我我我……我装了5000块钱啊……我的意思是是是……

王区长皱了一下眉头，突然笑了。王区长说，是吗，这么说你知道我要去慰问孩子特地准备的啊。王区长又说，你的意思我明白，我说老王啊，这样的善事你以后可要多做啊。王区长还说，老王啊，你以后可要把它做到明处，咱做好事还怕吗，你说是不是啊？

电话里支支吾吾，王区长就挂了电话。

王区长抽了两支烟，忽然对老婆说我有点事出去一下。

王区长就一个人走到了夜晚的街头。

走到一个僻静处，王区长就查询了白天那个医院的电话。就让值班护士找到那个患病儿童的父亲接了电话。

王区长说，你好，上午我们领导来慰问给你孩子，带了一个玩具，你们知道吗？对方说，知道，俺孩子现在还抱着那个坦克睡觉呢，一天了他也不撒手，谢谢你们领导啊。王区长说因为匆忙上午忘了告诉你们，那个玩具是一个个体老板让我们领导转送的，那个老板在玩具坦克肚子里装了5000块钱，送给你们给孩子治病，这个老板请你一定收下，也请给他保密。

电话里的声音突然颤抖了，说谢谢领导，谢谢老板。

王区长就把电话挂了，轻轻叹了一口气。

跳　楼

○乔　迁

“有人要跳楼了……”惊恐与惊奇的叫喊声接力棒似地一个接一个地传递着，随着传递，人流逐渐扩大，像潮水一般涌向不远处的一幢未完善的大楼。

大楼下已经聚拥了黑压压的一群人，所有的人都昂着头仰望星空一样地望着楼顶上的那个人。那个人站在楼顶上，不时地俯身向下望一眼，他每一次俯身，都引起人群的一片惊呼。虽然那个人看上去就像一只猴子一般小，但丝毫不影响他的行动被楼下的人们捕捉到，他的每一次行走、俯身，甚至有一次还坐在了楼边上，都使人惊心动魄，一些妇女和老人直抹自己的胸口，让气喘得舒展一些。“男人女人啊？为啥要跳楼啊？”有人问道。他的疑问立刻招来了一大片光亮的目光，目光在问话人的脸上一扫而过，又极力地扑向楼顶。使劲儿地望了半天，也没人看出楼顶上的那个人是男是女，便有说男的，有说女的。说男的的似乎多一些，理由是要跳楼的一定是个民工，而且还是盖这个楼的民工，没拿到工钱，用这招来要工钱，电视上经常报道的，很灵。说是女的的立刻反对说，这楼都停工两个月了，没看到一个人在这儿干活，哪来的民工，一定是个女的，失恋了，要不就是被情人甩了，想不开跑这儿来跳楼……两伙人立刻吵得不可开交起来。一个小伙子突然高喊一声：“争什么？上去看看不就得了。”争吵声停止了，都望小伙子。小伙子分开人群，就要往楼上冲。一个老者一把扯住了小伙子说："上不得，上不得，你上去了，他看到有人上去就跳下来，你就有责任了，弄不好都得坐牢的。上也得警察上！"小伙子立刻退了回来，不甘心地向上望了几眼。

"怎么没警察来呢？"有人叫道。人们立刻惊醒了似的纷纷拿出手机，拨打110。可不，这么半天了，竟没人想起来叫警察，这种事情一定要警察来处理的。

一辆警车很快便来了。警车在人群外停下后，从车里跳出一胖一瘦两个警察，人们一看警察，立刻分闪出一条路来，让两个警察畅通无阻地来到了最前面。楼顶上的那个人显然也看到来警察了，立刻俯身往下张望了一眼，又惹得人群一片惊呼。两个警察也随着人群的惊呼张了张嘴，但没发出惊叫来，毕竟对这种事情的心理承受能力要强于平常百姓的。两个警察没有立刻往楼里走，胖警察问身边的几个观者："是民工吗？"有点头的还有摇头的，晃得胖警察有些蒙，追问了一句："是不是民工啊？"便都不摇头也不点头了，开口说道："不知道，是男是女都看不清，谁知道是什么人啊！"两个警察对他们的回答有些不满意，挥着手说："大家都往后退退，退得远一些，都在这儿围着，对楼顶上的人容易造成刺激，不利于我们营救。"人群在两个警察的挥手中就后退了，缓缓地，眼睛都没离开楼顶上的人。胖警察对瘦警察说："你在这儿等其他救援人员，我上去看看。"话音刚落，人群突然爆发出一片尖叫，只见楼顶上的那个人一晃，一件东西从楼顶上落了下来，落在了两个警察的脚下，把两个警察也吓了一跳。落下来的是一顶破旧的帽子，胖警察捡起来，帽子里有半截砖头，还有一张纸条，纸条上写着：我是盖这个大楼的民工，黑心的老板欠我五千元工钱没给，十分钟之内钱不送到，我就跳下去，我决不拖延一秒钟。

两个警察看完纸条，脸有些白，也有些焦急，把纸条给身边的观者看，问道："谁兜里有五千元钱？"围在身边的几个人立刻闪开了，摇着脑袋说："没有，没有，谁闲着没事在兜里揣五千元钱？"便都知晓了纸条上的内容，人群不由地后移了一下。

“借用一下，就借用一下，我们拿钱上去把他骗下来，立刻会把钱还给你的。”警察望着人群着急地说。人群突然鸦雀无声了，人们的目光不再仰望楼顶，而是齐刷刷雪亮地射在了两个警察身上。“只有十分钟，这关乎一条人命啊……”警察的声音有些抖。

一个衣衫破旧瘦小的男人从人群中走了出来，走出来的时候迟疑了一下，但还是走了出来。警察看看他，他怎么看都不像有钱人，警察的脸上不免有些失望，但还是对走过来的他说：“也好，大家赶紧凑一下，先把人救下来。”“我这是五千。”瘦小的男人从衣兜里掏出了一个裹得紧紧的纸包说道。两个警察不相信地望着他。瘦小的男人有些腼腆地一笑说：“这是我刚刚从老板那儿支的工钱，回去给老婆治病的，正好路过这……我也是民工的。”

两个警察从瘦小的民工手中接过钱，眼睛湿润地向他敬了个礼，飞快地向楼里跑去。

幸福就是借出去的伞都回来了

〇孙道荣

张师傅是开发区一家工厂的门卫。工厂靠近路边，不远处是一个公交车站。

南方，天经常说变就变。刚刚还是艳阳高照，转眼之间就可能下起倾盆大雨。坐在门卫室里的张师傅常常看见，急雨之中没伞的人抱着头，仓皇奔逃。附近都是工厂，连个躲雨的杂货铺什么的都没有。

那天，天又突然下起雨来。张师傅看见，一个中年男人，背着一个大包裹，从厂门前一瘸一拐地跑过，雨很快打湿了他的行李和衣服。张师傅看出，这是一个和自己一样的庄稼人，也许是刚从乡下来，还没有找到活和落脚的地方，也许是正准备回乡下去，眼下可正是农忙季节。张师傅拿起自己的伞，追了出去，借给了快淋成落汤鸡的男人。这是张师傅第一次主动借伞给素不相识的路人。

第二天，中年男人竟然找上门还伞来了，说了很多感谢的话。他果然是刚从乡下来，儿子大学毕业后，在附近的一家工厂找到工作，他是给儿子送行李来的。中年男人的感谢，反而让不善言辞的张师傅臊得满脸通红，没想到做那么点小事，人家这样记得你。

也许就是从那天开始，张师傅多了一个心眼，每次突然下雨时，他都会留意从厂门口走过的行人手中有没有雨伞，如果没有，他就会拉开窗户，喊一嗓子：我这里有伞，拿去用吧。

一把伞借出去了，又一把伞借出去了。都是路过的人，互不相识。借伞的人除了连声感谢之外，都会一再向张师傅表示，会还回来的。

张师傅却没指望这些借出去的伞，还能回来。这些伞，都是张师傅捡到的破伞，张师傅看着还能修，就自己动手，将它们修好。这些经过修理的伞，修得一点也不好看，但是，能遮个风，挡个雨。

让张师傅惊喜的是，借出去的伞，一把把，又飞了回来。

它们是这样回来的——

一大早，一个小伙子借了一把伞，没想到，半个多小时后，小伙子又打着伞回来了，手里拎着刚刚借去的伞。原来，小伙子就住在不远的地方，回到宿舍，赶紧拿了把伞赶回来送伞。雨大风急，小伙子的裤腿基本上都淋湿了。张师傅接过小伙子还的伞，都不知道说什么好。

一天，一位大妈来还伞。天热，大妈晒得满脸通红，汗流浃背。张师傅看看伞，确实是自己借出去的，上面有他修理过的痕迹。可是，他却怎么也想不起来，曾经借伞给大妈。大妈解释说，是自己女儿借的，那天她来开发区一家工厂面试，突然下雨，淋了个措手不及，幸亏张师傅借了把伞给她。张师傅想起来了。大妈说，女儿回学校去了，来不及还伞，特地叮嘱她来还伞的，她根据女儿写的地址，一路找了过来。

一天晚上，张师傅正准备休息，忽然有人敲门，是个小伙子，张师傅认出，是白天借伞的小伙子。小伙子一脸窘迫，结结巴巴地说，下班的时候忘记将伞带回来了，所以，只好空个手来跟张师傅说一声，明天一定把伞还回来。第二天晚上，小伙子将伞还了回来……

每一把伞，借出去时，仅仅是因为一场猝不及防的雨，而还回来时，却都带着一段段故事。从农村来城里打工已经十几个年头的老张师傅觉得，自己很满足，很幸福，满足是因为他靠双手养活了自己，而幸福的理由更是简单：他借出去的伞，每一次都还回来了。他不图借伞人的感谢，但每一把回来的伞，都让他觉得，这个城市并不像有些人说的那样冷冰冰，人和人是可以互相信任的。

一把伞，挡住了风雨，传递了温暖。

阿咩走穴

〇孙春平

大山里穷。县里乡里为帮山里人脱贫，想了许多办法。五年前，县里召集了一次知青返乡恳谈会，三道沟乡安乡长看与会者名单上有个乔卓兰，职务栏内注着是一家服装集团的董事长，便想起当年来家乡村子插队的知青中有位大姐，也叫这个名字，当时青年点还没建起来，乔大姐便和自己的亲姐姐在一铺炕上睡了近一年。安乡长急奔了会议下榻的宾馆，见面先报了自己亲姐姐的名字。乔大姐惊喜地问："你是四旋儿?"安乡长便挠着脑袋哈哈地笑，"难得大姐真还记得我!"

四旋儿是安乡长小时候的外号。乡间有句俗谚，"一顶拧，俩顶横，三顶打架不要命，四顶说话不一定。"顶就是头发里的旋儿，此谚专指男孩子，人生下来，一顶两顶为多，三顶已很少，四顶的则像东北虎、金丝猴，很珍稀了。

那一次，安乡长陪乔大姐回到乡里，乔大姐哪儿也不去，坐在姐姐家的院子里剥了半天苞米。临走，乔大姐说："来时我从乡路上一走，就知这些年这里没啥太大的变化。这样吧，十天之间，我会派人送来乡里四十只绒山羊，你们分到十个村子十家农户去，每家三母一公。我考察过，这种羊很适合这一带山区饲养，羊绒的经济价值非常高。我的建议，最好不要放在山上散放，而是精养舍饲，那对山林植被也是一种保护。我早有在县里建绒毛加工厂的打算，五年后我再来看，如果咱们乡的山绒羊饲养真成了规模，我就把厂址选在这里。”

五年的时光，说快就快，说慢也慢。今年秋天，乔卓兰不食前言，果然就又一次来了乡里。这五年，安乡长因没有明显的政绩，还在原来的职位上踏步不动。他一直盼着乔大姐来，乔大姐真若在乡里建起工厂，那他的政绩就突出了，升迁就有指望了。可他心里也犯难，五年前四十只绒山羊分到十家，有几家不听指教散放在山上，或跑失或滚崖或生病而死，还有几家因婚丧嫁娶或孩子升学，干脆把羊变了钱；更有两家嘴馋的，过年时羊就变成餐桌上的美味。眼下乡里真正可供人一看的，其实也就三家，每家已发展到三四十只，圈在一起也很惹人眼热。但三家就能算规模吗？

活人总不能让尿憋死，且让你先把厂子在乡里建起来再说。安乡长发了狠心。

那天，安乡长陪乔大姐在农户羊舍前看，边看边介绍：“要说规模吧，可能有失大姐期望了。像这架式的，眼下一个村也就三五户。全乡十五个村，如果全乡的羊都能集中到一个村里来，那才真正叫规模化呢。”

乔大姐却很满意：“这是基础，还算结实。万事开头难，有了基础才能万丈高楼平地起呀。这已经超过我的预想啦！”

安乡长很振奋：“还是咱大姐，张口就是明白话！这就好比打麻将，先得上听求和，和了后才能数番，一翻二，二翻四。眼下一个村有三户，明年就是六户，后年就是十二户。那一个乡是多少？您先张罗着把绒毛厂建起来，有筹备这工夫，羊就翻了一番啦！”

乔大姐说：“打麻将的事我不懂，可道理应该是一样的吧。”

正巧有只小羊羔从圈里钻出来，雪白雪白，绒绒的，球一样滚到乔大姐脚下。乔大姐弯腰抱起它，喜爱地在怀里摩挲，那小东西瞪着黑亮亮的眼睛，还伸出柔润的舌头在乔大姐手心里舔。乔大姐疼爱地说：“小东西，叫什么名字呀？”那小羊便“咩”了一声。乔大姐笑了：“好，就叫阿咩，挺好听的。”

安乡长不失时机地掏出数码相机照下了这一幕，还拿到乔大姐眼前去欣赏：“大姐看看，多美。日后我们乡里绒山羊产业大发展，大姐是祖师奶奶，首席功臣，这一幕就是历史的见证，家家户户都得挂起来！”

乔大姐把一个村的三家养羊户都看了，安乡长问还去不去其他村，乔大姐说还是多看看好。安乡长说，谨尊懿旨，大姐您说再去哪儿？乔大姐随口说了垃子口，那是乡里最偏远的一个村子。安乡长说我的车加油去了，马上就回，咱们先去村委会喝点水，车到就走。

乔大姐在去垃子口的路上发现自己的戒指丢了。那个戒指不值多少钱，却是结婚时先生戴在她手上的。先生也是老知青，却英年早逝，那戒指便成了她永久的念想。那一刻，乔大姐的心里很痛惜，一路都在想可能丢在哪里，却缄口没跟任何人提起这个事。

到了垃子口，再进农户家，又一只可爱的小绒羊滚过来，对着乔大姐咩咩地叫。安乡长说，大姐快抱抱它，我再给您照一张，身后的大山有特点，有此景相衬意义非凡啊。

盛情难却，乔大姐便再一次抱起了小绒羊，手又在羊身上摩挲，可这一摩挲不要紧，就摩挲出了异样。乔大姐从羊绒上摘下一件东西，看了看，竟正是自己丢失的那个戒指。她怔了怔，放下羊，然后淡然一笑，竟直呼了安乡长少年时的外号：“四旋儿乡长啊，这只小咩很诚实，大老远的，竟将我丢失的戒指送来了。走吧，我哪儿也不看了。十天内，我再派人给乡里送来四十只种羊，还是五年为期，到时我再来看吧。”

玻璃心

○孙道荣

装修房子，经常会有一些包装纸箱要处理。小区保安告诉我，地下车库里住着一个收破烂的，如果有废纸卖，可以直接到地下车库找他。

在地下车库的一个角落，用硬纸板搭了个临时棚子，棚子周围堆满了各种废纸、铁桶、塑料瓶什么的。一个中年男人，正在埋头将一堆废纸归类整理。听说我有废品卖，他连忙拿起秤，跟我上楼。

找过他几次，就熟了。

有一次去地下停车库找他，不在。探身看看棚子里面，砖块垒起来的木板床上，躺着一个小女孩。问她大人呢？小姑娘告诉我，爸爸到地上收废纸了，马上就回来的，你等等啊。

地上？见我纳闷，小姑娘“嗤嗤”笑了，指指头顶，就是上面啊。

反正也没事，那就等等吧。

我问她，怎么不出去玩啊？好像从来没见过你呢。

爸爸不让我出去玩，而且，前几天我又摔了一跤，腿跌坏了，不能走路了。

这才发现，可怜的小姑娘，一条腿上打着厚厚的石膏。

这时候，中年男人回来了，肩上扛着一大捆纸盒。放下纸盒，他拿起秤，跟我上楼。

新买了几件家电，所以，有很多包装盒。一边帮他折叠，一边聊起来。话题不知不觉转到了孩子身上。他重重地叹了口气，这娃命苦啊。

他告诉我，孩子不是他亲生女儿，是一次收废品时，在路上捡的。开始也没看出孩子有什么毛病，两岁那年，跌了一跤，将胳膊摔断了。也没当个事，只当是孩子骨头脆，经不住摔，哪里想到，原来是大毛病呢。医生说是一个叫什么玻璃的毛病，骨头很脆，一不留神，就会骨折。

我听说过这个病，先天性玻璃脆型骨质疏松症，是个世界性的疑难杂症，从来就没有治愈过的。

最让人担心的，是她常常会摔跤，一个趔趄，就可能折断她的哪根骨头。从小，就不敢让她跑，更不敢让她像别的娃一样玩耍嬉闹。尽管小心翼翼，可是每年，她都会骨折一两次。这不，前几天，一不小心，又摔了一跤，腿又断了。娃还不到十岁啊，她这辈子可怎么活呢？中年男人的眼里，透出沉重的忧郁和悲伤。

我不知道怎样安慰他。

搬家那天，我将儿子小学时用过的课本整理成一捆，送到地下车库。阴暗的地下车库里，飘荡着一股骨头的香气。

他正在煤炉上熬骨头汤。给娃补补。他说。

见我手里拎着一捆书，他赶紧找秤。我说，这次不是卖给你的。这些都是我儿子小学时的课本，放在家里也没什么用，给她看看，识几个字吧。

小姑娘斜躺在床上。我问她，认得字吗？她说，认得的，爸爸每天都教我认字，爸爸收回来的废纸里，有时会有好多好看的书呢。她拍拍身边的一堆书本，这些都是爸爸从废纸里找出来的。

痛吗？我摸摸绑着石膏的腿。爸爸夸我是乖女儿，我不怕痛。小姑娘自豪地说。但是，爸爸，我的腿又痒了。

中年男人走过来，手里拿着一根细铁丝。爸爸帮你挠挠。

他轻轻地捧起那只绑着石膏的腿，小心翼翼地将铁丝捻进去，是这没有业绩，不如躲在宿舍里打牌。但我从来不愿这样。宿舍里白天黑夜都是一样的冷，躲回去跟在外头淋雨又有什么区别呢？只是我一直诧异着，这么冷的冬季，为什么总下雨不下雪。要是下了雪，起码能给我增添几丝悲壮，而老是下雨，对于我们这些四处奔波拉广告的业务员来说，结果只能是落汤鸡。

我计划里要跑的最后一家客户是个小酒厂，上班的第三天我曾经来踩过点。很抠门的一个小老板，想打广告却又把钱包捂得铁紧。我明明知道结果又会是一个熟悉的白眼，但我还是想履行完这最后一个，只要他不给我闭门羹能让我进他的办公室，象征性地给我一杯热茶，我的结局就算完整了。

兜里有张汇款单，母亲寄来的，钱不多，300。留言处只有五个字，回来吧我儿。

那五个字从汇款单到我手上就一直滚烫着蹦跳着。每天上班我都要拿出来看一看，汲取些温暖和力量。今天邮局已经第二次寄催领单了，再不取款钱就会自动打回寄件人。

捂了捂口袋，我觉得自己好像抖得不那么厉害了，但寒冷，还是那样真实。刚才雨又大起来的时候，我第 N 次想折身回宿舍，拿了身份证就能取出那 300 块钱，打张车票就能回到那一片熟悉的温暖。可已经决定走完这段路程了，我就学习阿 Q，把那圆努力画好。

远远看到那个酒厂的大门，委琐无助的神态很像雨中的我。我知道再从这道门出来我就彻底放弃了。下坠的感觉真好，有种不管不顾的失重感。

我带着一头一身的雨水冲进厂长办公室的时候正是中午，厂长捧着一个铝制的饭盒在吃午饭。看得出来他很意外也很惊讶，但他没像往常那样立马盖上饭盒跷起二郎腿，而是起身给我拿了条毛巾示意我擦擦。

你说上午来，我以为下这么大的雨你就不来了呢。

我听出这话里有责备的意思，便舍弃习惯的讨好和逢迎，用我最喜欢也最习惯的冷漠腔调说，我说来就会来的，天上就是下刀子我都会履诺。这是出行表，麻烦你帮我签一下我回去好交差。

我递上还算干燥的一个本子，那上面密密麻麻记着我三个多月来的所有行程，带着袅袅的体温。

你怎么不问我要不要在你们报纸上做广告了？厂长狡黠地笑了笑。他就喜欢这样笑，我想他一定是觉得这样会让人捉摸不定，既给人希望又不让人失望。这个老狐狸，我满腔怒火却又无可奈何。

我笑笑，接回了本子。我很奇怪我还能笑得出来，看来跑广告真是锻炼人。

我想先做一年的，看看效果。

我愣了愣，回味了三遍他这句话，才有些口吃地说，那、那我给你做个专访，放广告版最醒目的位置。

我没浪费一秒，以最快的速度取了那300块钱。同事的嫉妒和主任的笑脸让我觉得生活突然间美好起来。我想我得添件雨衣，买个枕头，另外还得考虑一下请同事吃顿饭，因为下个月我就可以拿到3000块钱的业务提成了。主任破例夸奖了我，这让我觉得请客突然迫在眉睫了，甚至要提到雨衣和枕头前面。

雨还是经常下。不过冬雨有冬雨的好，它让冬天干净清新，就连街上也少了许多聒噪。不过主任说提成要到客户的酒厂去领，这是惯例。

可酒厂已经倒闭了。

那位厂长愁眉苦脸地说，当初打广告就是为了清仓积压产品，不过提成肯定会有的。

于是，我拉回了价值3000块钱的酒。我想这个冬天我再也不用担心寒冷了，3000块钱的酒，足够烧暖我的整个冬天。

那般清晰，但经高手印刷工人的精心处理，竟别有一番味道。齐市长浓雾锁峰两载有余，终有一朝偶露峥嵘，一时竟在城市里引起不大不小的震动。

铺展报纸，齐市长只好再报以苦涩一笑。遁笔可矣，抑或还须遁指乎？那可就真真要憋死人啦……

高师傅

〇陈　毓

高师傅的家在渭北的蒲城。陕西有一句俗语：刁蒲城，野渭南，不讲理的大荔县。意思是说，蒲城的人刁，难打交道。高师傅之前，我没有过跟蒲城人打交道的经历，不知道这俚语中有多少真的成分。

木工高师傅有点气宇轩昂的味道，这不仅指他的人高马大，加上他的巨大的工具箱，和表情之中对于自己手艺的那份不想掩饰的自信，让他看上去确实与众不同。这份特别被走在高师傅后面的他的三个矮瘦的徒弟一衬，立即显出高师傅作为主角的必然性。

是通过领工中介高师傅才找到我家干活的。后来当中介弄明白我并不打算在自己家里打家具、造装饰的时候似乎很失望，大有退出不做的意思。倒是高师傅热切，说：不是还有门和窗吗？门是嘴巴窗是眼，是顶重要的。六个门八扇窗，加上窗台门廊的，够我施展手艺的喽！说罢一声长啸，声音震的人耳朵嗡嗡地响。仔细听，无非是“祖籍陕西蒲城县，杏花村里是家园！”之类，也没有什么特别的唱词，伴着“呀！”“哇！”“啊！”之类的叹词，但若是跟眼下常常蹦跳在年轻人嘴角的同样的一些词对比，境界却大有不同，婉转徘徊，低似直抵地底，高可攀上云霄。这些简单的词一经高师傅的嘴，似乎就带上了魔力，一会儿让人心跳加速，一会儿又叫人身上起一层鸡皮疙瘩。

如此近距离的领略秦腔在我还是第一回。比如高师傅站在我家家徒四壁的门廊下“呀!”地一声长啸的时候，我确实在瞬间忘却了自己身在何处，眼前的这四五个人也似乎消失了。如果要表达自己的感受，仿佛是身处无际的旷野，烈日当头，行路寂寥，目的地因遥远而不敢站下来片刻遥望，怕连最后一点行走的力气都消失掉。

顺便说一句，在我仅有的一次不得不陪外地朋友观看秦腔晚会的经历中，我是带着耳机看完一场演出的。因为模糊了听，就格外集中了视，但遗憾的是那天临出门时忘了带眼镜，所以就算是坐在前面，也视野模糊一片勉强分出个黑头和老旦。

等我从高师傅的“一声吼”中回过神来的时候，高师傅已从他的工具箱里取出了所有的行头。他问我要设计图纸，我说因为简单基本上不需要什么图纸，我说我现在就当着你的面比画给你。你只要照着我说的去做，肯定不会有错。一边说，一边把几个简单的细节写在一张白纸上。我相信我说得非常清楚了，可我看见高师傅一时收敛了脸上所有的生动，木讷地看着我像是回不过神来的样子，半天说，就这些？你要是有力气锯木材你自己都可以做了，何必要我这个师傅呀！我试着问：简单不好么？你更容易做到么！高师傅的脸红了，看上去像是隐忍着恼怒，说，你尽管复杂着画，反正价格已经说好了不是，我又不会因为复杂而涨价。你只管把你能想象出的复杂都说出来！我实在有点想笑：那里有强要人复杂的师傅呀！只得说，你又不是卖材料的，我复杂了对你只有麻烦而没有好处！还是按我说的做吧，我喜欢简单。

高师傅接受了我的“简单”但看得出来我并未使他在心中认同我。是隐瞒不住或是干脆不想隐瞒的下属面对他在能力上有所怀疑的上级脸上常有的那种表情。

工程在高师傅的时而低徊婉转，时而贯彻云霄的秦腔声中开工了。不久我就发现这是一个多固执的人呀！我说压门的扳子要窄，他说要宽，然后再压另外的木条；我说门廊处只需搭三条横板衬出我的一只羊皮纸的吊灯就成，他坚持说只有搭成积木形的才像是他这种手艺人的所为。卫生间的门他要镂空，阳台的窗他要做出云纹。我说你要坚持这样去做那就不是我的家了！他说你不应该嫌弃自己的眼睛和嘴巴长得比别人家的好看！我忍着气笑说，你做你的，回头我再请人把你做的拆掉拉倒。高师傅不再坚持，脸上大有一种“道不同”的干脆闭嘴的决绝。

的确，那点简单的，在高师傅的眼里根本就算不得活儿的活儿很快就做完了。手工果然像他自夸的那样：没得谈嫌的！我大大的夸赞他的手艺，他一点不领情：嘁！就这点事！还算个事！

只等明天领工来算了工钱他们就走的。第二天再去，房子里多了一只墩子：五面镂空八角云纹一面镶一胖“福”字的墩子！简直是太奢侈了！高师傅说，用剩下的角料做的，你可以当个脚凳啥的！这份求之不得的意外的获得让我大为感动，一时怀疑自己当初对高师傅断然的拒绝是否是错误的？

我没有像高师傅说的那样把他留下来的那只墩子当成攀高时的一只随便的脚凳。它被我放在阳台上我心爱的一只摇椅边，我在上面放我的茶杯，在一切有闲的时光里。

我想我这样做，或许保有对于一个热爱自己的手艺的手艺人的敬意吧。